LE MARÉCAGE

Choi Kyu-sok

Traduit du coréen par Kim Youn-sill et Stéphane Couralet

Adaptation graphique et lettrage : Kristopher Decker

HANGUK
한국

Marshy Ecological Report © 2005 by Choi Kyu-sok.
All Rights Reserved.
First published in Korea in 2005
by Geobooki Books Co., Ltd.
French translation rights arranged with Geobooki Books Co., Ltd.
Trough Orange Agency.
French edition © 2006 by Casterman

www.casterman.com

ISBN 2-203-37705-4

prologue 1. **LA RUPTURE**

5

ARRÊTE ! MOI NON PLUS JE NE SAIS PAS CE QUI M'ARRIVE.

JE SAIS BIEN QUE C'EST IMPOSSIBLE...

MAIS JE NE PEUX M'EMPÊCHER... JE DEVIENS FOLLE...

COMMENT IMPOSSIBLE, ON N'A ENCORE RIEN ESSAYÉ !?! ALORS, POURQUOI T'AS COMMENCÉ ?!?

POURQUOI T'AS COMMENCÉ... POURQUOI...

NE PLEURE PAS... S'IL TE PLAÎT, NE PLEURE PAS À CAUSE DE MOI.

9

... JEU D'ADULTÈRE ?

EUH OUAIS... ON PEUT L'APPELER COMME ÇA.

JUSTE UN DÉTAIL...

POURQUOI T'AS FAIT ÇA AVEC MON PORTABLE ?!? CRÉTIN !

DU CALME, ON S'EST TROP PRIS AU JEU...

prologue 2. **LES ONGLES**

J'aurais jamais dû me couper les ongles à cet endroit, hier soir*.

CLiK   CLiK

TCHiK

?

LÀ-DEVANT, 'Y A LES MÊMES BASKETS QUE LES MIENNES...

*En Corée, on dit que si on se coupe les ongles la nuit et qu'une souris passe et les avale, elle s'empare de notre apparence physique. N.D.T.

FLAP

JE M'DISAIS BIEN QUE C'ÉTAIT UN PEU LOUCHE.

T'APPELLE ÇA "UN PEU" LOUCHE, TOI ?

...

QU'EST-CE QU'ON FAIT ? ON FAIT VENIR UN CHAT ?

ALLÔ... LE TRAITEUR CHINOIS ?
JE VEUX UN MENU POULET,
NOUILLES SAUCE PIMENTÉE
ET PORC AIGRE-DOUX,
GRAND FORMAT.

PAS DE SOUCIS.
C'EST MOI QUI
RÉGALE.

HEIN ?

TOP
GÉNIAL !

FROT FROT

TCHAK TCHAK

SUIF SUIF

CAFÉ ?

FUiiiiii

OUI !!!

...

?

...

15

LES PERSONNAGES

Choe-kun Étudiant boursier. Toujours premier du département de bandes dessinées. Ses habitudes de vie sont imprégnées d'une pauvreté qui dure depuis trois générations. Dès qu'il ouvre la bouche, il critique la société et pointe du doigt ses contradictions avec une certaine éloquence. Il devient susceptible dès qu'on attaque son étroitesse d'esprit (son principal défaut).

Jae-ho La coupe au bol, porte tout le temps un tee-shirt rayé et un bas de jogging mauve. Il rit à tout sans raison particulière, des sortes de rictus nerveux ''hi~ing'', si bien qu'on se demande s'il a une personnalité ou pas. Il a la manie de récupérer toutes sortes d'objets abandonnés dans la rue en leur donnant une identité humaine.

Jeong-kun Le visage rondelet du bon vivant, il a bon caractère. Il s'occupe de la plupart des tâches ménagères. Souvent victime de son caractère faible et gentil, il cache un désir profond de se faire valoir à la moindre occasion. À la maison, il est toujours en slip, sa tenue favorite. On lui doit l'intrusion du cerf dans la chambre.

Mong-chan C'est une bête de travail. Il vit carrément dans l'ordinateur. À part son travail, il vit indifféremment des préoccupations du monde. Après une absence de trois jours, ses colocs l'ont retrouvé étendu inanimé, faute de l'avoir nourri. Parfois, il a un cœur si tendre qu'on le croirait presque stupide. Mais il est inégalable pour sa passion du travail.

Le cerf En vivant comme un parasite dans la chambre des amis du marécage, il se prend pour le maître des lieux. Connaisseur presque professionnel du monde et des femmes, il méprise ouvertement les pauvres et voue un véritable culte aux riches. Par ailleurs, il se révèle être très malin. Son moyen de survie c'est de parasiter les autres, mais parfois il arrive à gagner un peu d'argent en vendant ses bois ou son sang.

SOMMAIRE

#01 :

MIMÉTISME

La misère de l'espèce inférieure, on n'en est pas fiers, mais on n'en a pas honte non plus. On est un peu sans culot et...

Parfois, devant la contradiction...

... de la chaîne alimentaire...

POUF!

... notre sens critique nous fait un peu pester par derrière.

SALOPERIE DE NOURRITURE PRÉTENTIEUSE !

CRiiiiiii

HÉEÉ... TOI, EN PLEIN JOUR ? QU'EST-CE QUI T'ARRIVE ?

AH... EUH... ON PARTAIT ACHETER DES FRINGUES...

Dans l'ensemble, on affiche un mode de vie cohérent mais...

ÇA TOMBE BIEN. JE VAIS AUX GRANDS MAGASINS. ALLONS-Y ENSEMBLE !

G... GLAD YOU...

JE TE PRÉSENTE ANDREW, UN POTE DE QUAND J'ÉTAIS AUX STATES...

24

02 :

IL FAUT SAVOIR PLEURER

25

QUAND LA VIE EST DURE, ÇA FAIT DU BIEN DE PLEURER PARFOIS.

NON, IL N'Y A PAS DE PEINE INSURMONTABLE DANS CE MONDE.

MÊME SI JE VIENS D'UNE ESPÈCE FAITE POUR PLEURER...

MÊME SI MON CORPS BRÛLÉ FINIT EN CENDRES BLANCHES... JE VAIS SUP... PORTER...

...

27

#03 :
HYUN-JUNG

RENTRONS À LA MAISON, HYUN-JUNG.

...... ?

HYUN-JUNG, NE RESTEZ PAS LÀ, SUIVEZ-MOI...

ON SE CONNAÎT D'OÙ ? ET PUIS NE M'APPELEZ PAS COMME ÇA ! JE NE M'APPELLE PAS HYUN-JUNG !

HEP, S'IL VOUS PLAÎT...

CHÉRI ! POURQUOI ES-TU SI EN RETARD ?!?

ELLE N'EST PAS À PRENDRE, ON DÉMÉNAGE...

HYUN-JUNG~~

OH, TU MANGES OU QUOI LÀ ?

SNIF...

Chang-woo qui a ébranlé un moment son identité sexuelle.

Sun-ok qui voulait garder jusqu'au bout sa virginité.

LAISSE-LE... SI AU PREMIER COUP D'ŒIL IL EST TOMBÉ AMOUREUX.

Tout ça a une histoire compliquée ...

Eun-mi qui lui a fait sérieusement réfléchir au mariage.

Yong-suk qui était trop m'as-tu-vu.

PREMIER OU DERNIER COUP D'ŒIL, J'AIMERAIS BIEN QU'IL SE DÉBARRASSE DE CE PASSÉ COMPLIQUÉ...

Sang-hee et Yong-ju qui lui ont fait découvrir l'ivresse d'une relation triangulaire.

#04 :

POURSUIVI PAR
UN CHASSEUR

GENTIL ET BEAU
MONSIEUR !!! PITIÉ,
SAUVEZ-MOI !

?

UN VILAIN CHASSEUR
VEUT ME FAIRE LA PEAU
AVEC SON FUSIL !

CACHEZ-MOI UN
INSTANT, HEIN ?
S'IL VOUS PLAÎT,
BEAU MONSIEUR.

OH... BEAU,
DISONS PLUTÔT
MIGNON...

ENTREZ AU MOINS
PRENDRE UN CAFÉ...

POUF

FLOUP

TAP
TAP

VOICI VOTRE
CAF.......... ?!?

OH ! THANK YOU.

D'APRÈS CE QUE J'AI COMPRIS, VOUS ÊTES DANS L'IMPASSE, CERTES, MAIS VU LES CIRCONSTANCES, ON CRAINT UN PEU QUE VOUS CHERCHIEZ À VOUS INCRUSTER CHEZ NOUS. COMME VOUS VOYEZ, NOTRE CHAMBRE EST DÉJÀ SURPEUPLÉE VU SA SUPERFICIE, ON A TELLEMENT DE MAL À BECTER TROIS FOIS PAR JOUR QU'ON N'EST PAS EN MESURE DE LOGER UN SQUATTEUR. PAR CONTRE, ON CONNAÎT UN AMI BIEN NÉ, LUI, QUI VIT DANS L'OPULENCE GRÂCE À SES RICHES PARENTS. IL VIT SEUL DANS UNE CHAMBRE IMMENSE. SI VOUS LE SOUHAITEZ, ON POURRAIT LUI PROPOSER D'ADOPTER UN CERF COMME ANIMAL DE COMPAGNIE... BLABLABLA...

HI...

LE FARDEAU...

... NE VA PAS CHEZ LES RICHES.

05 :
LES COMPLIMENTS

QUAND JE VOIS JAE-HO, JE LE TROUVE FORMIDABLE.

MOI ? MOI ? VRAIMENT ? VRAIMENT ? HIHI~

SA FAÇON D'AGIR, DE PENSER EST BIEN DIFFÉRENTE DE CELLE DES AUTRES

MOI AUSSI JE SUIS DIFFÉ-RENT...

SURTOUT SON SOURIRE UN PEU MYSTIQUE, COMME L'ILLUMINÉ, SUSCITE L'ADMIRATION...

...

ELLE PARLE BIEN DE MOI ? HEIN ? HEIN ?

MOI AUSSI, TOUT PAREIL

JAE-HO, TU LE TROUVES BEAU ?

IL A SON STYLE ET...

JE TE DEMANDE SI LES FILLES AIMENT CE GENRE DE VISAGE ?

38

CE... CE N'EST PAS VRAIMENT ÇA....

ALORS, TU LUI TROUVES UN TALENT PARTICULIER ?

SON UNIVERS À LUI.

JE TE DEMANDE S'IL EST COMPÉTENT ?

N... NON...

ALORS, IL A L'AIR RICHE ?

PAS DU TOUT...

06 :
SAVOIR L'ÉCRASER

TOI AUSSI T'AS DÉJÀ PORTÉ CE GENRE D'UNI- FORME ?

HIHI

MOI PORTER ÇA ? BONJOUR LE STYLE.

HAHAHA !!

MONSIEUR, VOUS FAITES TACHE ICI, C'EST BON, PARTEZ

DE TOUTE FAÇON, VOUS ET MOI, IL NE NOUS RESTE QU'UN PETIT BOUT À TIRER. ALORS, FOUTEZ-MOI LA PAIX.

TCHAK

« PETIT BOUT MACHIN »
VOUS-MÊME, CROYEZ PAS
QU'ON EST PAREILS.

P... PETIT MERDEUX...
VOUS AVEZ FAIT
L'ARMÉE ?

EH ?
ON SE MET
EN COLÈRE ?

L'ARMÉE ?
J'SAVAIS PAS QUE
ÇA SE FAISAIT.

MON PÈRE M'A DIT
DE NE PAS Y ALLER.
COMME JE SUIS DOCILE,
J'Y AI PAS MIS
LES PIEDS.

N'ENTRE PAS
QUI VEUT. IL FAUT ÊTRE
AU MOINS DE LA MÊME
FARINE QUE VOUS.

MOI, JE SUIS
AMÉRICAIN...

AAARRGH...

IL EST TROP
TARD POUR
S'ENFLAMMER,
MONSIEUR LE
TROUFION, HAHA.

PETIT MERDEUX !!! JE NE PEUX PAS VOUS PARDONN...

...

TCHWAK

PSHIIIIIIT

ECRASE-LA BIEN TU VEUX, TA CIGARETTE. TIENS ?!? TU FUMES ENCORE CES CIGARETTES DE L'ARMÉE ?

OUAIS, C'EST PAS LE MÊME GOÛT, MON GARS.

AU FAIT... ÇA TE DIRAIT D'ÉLEVER UN CERF ?

'Y A PAS DE VIANDE ?

UN CERF ? C'EST QUOI CETTE HISTOIRE ?

QU'EST-CE QU'IL FOUILLE LE FRIGO DES AUTRES ?

44

L'IMBATTABLE

EH LE CERF,
DIVISÉ PAR 5,
ÇA FAIT 50300 WONS
PAR TÊTE.

N'ESPÈRE PAS
T'EN TIRER
COMME ÇA !

PFOUT

HOLÀLÀ...

QUELLE ÉTROITESSE, C'EST MÊME PAS LE PRIX D'UN CAFÉ ET TU CHIPOTES POUR ÇA...

D'ABORD, DIS-MOI OÙ UN CAFÉ COÛTE PLUS DE 50000 WONS. POUR NOUS, CETTE SOMME, C'EST CE QUE NOS PARENTS NOUS ENVOIENT EN ROGNANT SUR LEURS DÉPENSES DE SANTÉ. C'EST LE SALAIRE D'UN OUVRIER POUR UNE JOURNÉE ENTIÈRE DE TRAVAIL. AUSSI, L'EXPRESSION "ÉTROITESSE" EST UNE INSULTE AUX ÉTUDIANTS PAUVRES DE TOUT LE PAYS. C'EST RIEN D'AUTRE QU'UN ACTE CRIMINEL QUI ANÉANTIT L'ESPOIR DES BONNES GENS. EN JUGEANT PAR TES PROPRES CRITÈRES, TU LIVRES UN DISCOURS LÂCHE ET INCONSCIENT QUI MÉPRISE L'ATTITUDE INDULGENTE DES AUTRES DANS LA VIE. DE PLUS, PAR L'EMPLOI DU TERME "HOMME", TU RÉDUIS MA PROPRE IDENTITÉ À CETTE VALEUR ULTRA-CONSERVATRICE BLABLABLA...

OK, TU N'ES PAS ÉTROIT. VIS TOUTE TA VIE À QUATRE EN DEMI SOUS-SOL DANS UNE CHAMBRE À 20 000 WONS. TOOOOOOUUUTE TA VIE~

IL EST VACHEMENT SENSIBLE AU MOT "ÉTROITESSE", LUI.

IL FAUT LE FOUTRE DEHORS,
IL FAUT LE FOUTRE DEHORS,
IL FAUT LE FOUTRE DEHORS,
IL FAUT LE FOUTRE DEHORS,
IL FAUT LE FOUTRE DEHORS

T'EN FAIS PAS. L'ÉTROITESSE A SON CHARME...

ÇA N'A RIEN À VOIR !

48

08 :

MÉTAMORPHOSE

YO ! METALBOY. TU RENTRES AU DOMICILE FAMILIAL ?

OUAIS, MAN. WAOU, VOUS BOSSEZ MÊME LE WEEK-END ?

EH MAN, BAS LES PATTES.

HOHO~ TA PHYSIONOMIE EST ENCORE PLUS VARIÉE.

50

DIEU NOTRE PÈRE, SAUVE CETTE BREBIS ÉGARÉE DES GRIFFES DE SATAN...

STRESSE PAS MAMA. PIERCING OU METAL, C'EST QUE DE LA CULTURE.

TOI SATAN !

AHAA ! VOUS, ICI, MONSIEUR LE PASTEUR...

TU OSES T'INSTALLER LÀ !

SORS DE LÀ TOUT DE SUITE !

51

09 :
LES BOIS INVINCIBLES

POUR LES CERFS...

LES BOIS,
VOUS SAVEZ
COMBIEN C'EST
IMPORTANT ?

C'EST LA FIERTÉ DE L'ESPÈCE.

C'EST LEUR ATOUT
LE PLUS SEXY,

C'EST UN MOYEN
DE DÉFENSE CONTRE
LES ENNEMIS.

POURQUOI TU M'EN VEUX DE NE PAS TROQUER MES BOIS CONTRE UN LOYER DE RIEN DU TOUT ?!?

TU ES TROP CRUEL... SNIF...

NON... CE QUE JE VEUX DIRE C'EST QUE...

SI C'EST SI IMPORTANT...

55

ALORS POURQUOI
TU LES AS VENDUS
POUR DE L'ALCOOL !

DE L'ALCOOL !
DE L'ALCOOL ?!?

GRRRR

HA-A~
LES FILLES LÀ-BAS,
LEUR CORPS, ET QUEL
SERVICE...

#10 :
LE PROFESSIONNEL

ON DIT QUE L'HUMOUR C'EST IMPORTANT, MAIS C'EST PAS VRAIMENT ÇA...

?

C'EST SÛR, AU DÉBUT ÇA PEUT JOUER...

...

POIL DE CERF

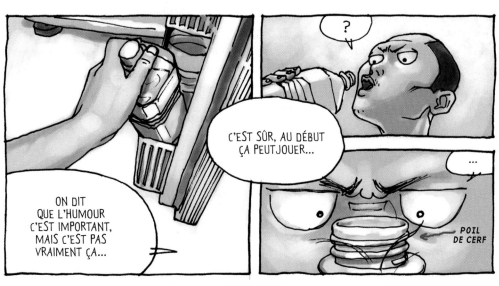

MAIS CE QUI EST VRAIMENT IMPORTANT, C'EST UNE PAROLE SÉRIEUSE...

PAF

IL FAUT BIEN ÉCOUTER LA PEINE DE L'AUTRE.

57

?

LA PLUPART DES ÊTRES HUMAINS ONT ENVIE DE CONFIER LEURS BLESSURES À QUELQU'UN...

HÉ, L'AUTOBIOGRAPHIE DE SCOTT NEARING QUI ÉTAIT LÀ...

'Y A TOUJOURS UNE BLESSURE DANS UNE HISTOIRE D'AMOUR OU ENCORE FAMILIALE.

IL FAUT ÉCOUTER SÉRIEUSEMENT SA BLESSURE ET DONNER DES CONSEILS AVISÉS.

...

SOUK

CHLAK

...

À CET INSTANT PRÉCIS, IL FAUT SE JETER SUR ELLE ET L'EMBRASSER...

OUAIS !

C'EST ÇA !

EH, LE CERF, JE VEUX DES EXPLICATIONS !

AH... J'AIME PAS LES COUVERTURES DURES... CET ÉCRIVAIN, IL A L'AIR TROP RIGIDE. AVEC QUEL PLAISIR IL RESTE DANS LA MONTAGNE À MANGER DE L'HERBE ? PAS ÉTONNANT QUE TU SOIS PAS MARRANT EN LISANT ÇA...

DEHORS !

J'EN ÉTAIS OÙ...

HEIN ?

J'AI DIT DE-HORS.

...

LE MAGASIN POUR LA SANTÉ ? OUI...
JE VOUS AI VENDU MES BOIS UNE FOIS.
COMME J'AI VITE BESOIN D'UNE CAUTION,
DITES-MOI, UN VERRE DE SANG DE CERF,
ÇA COÛTE... 100 000 WONS ?

PAR HASARD,
... SI ON PREND
30 VERRES
DE SANG,
LE CERF...

LE C... CERF.... SNIF... CERF...
IL MEURT, N'EST-CE PAS ?

ÇA VA ! C'EST BON,
ARRÊTE DE FAIRE PITIÉ,
T'AS QU'À RESTER !

11 :

EXPÉRIENCE DE TERRAIN (1)

On veut pas ressembler à ça mais...

TRiN TRiN

IIIIIII~ YEAH !

OUAIS~ ELLE BOUGE BIEN !

CLING

OH ? IL A L'AIR DE TE PLAIRE CE PUCEAU ? HOHO...

... C'est peut-être l'image de notre avenir ...

HOHOHO !!!
T'AS UN PENCHANT POUR
LES JEUNES COQS.

HÔHÔ...

... Ces plaisanteries
grasses.

FAIS PAS
TA MIJAURÉE,
ABOULE SI ELLE
TE PLAÎT.

EH, LE PUCEAU !
EMMÈNE-LÀ,
C'EST GRATIS !

HAHAHA...

APRÈS LA RUINE
DE SON MARI, ELLE A L'AIR
D'AIMER SA NOUVELLE VIE.

'Y A PAS DE QUOI
ÊTRE SI CONTENTE
QUAND MÊME...

Un sentiment de mépris mêlé
de compassion m'envahit.

OUI... C'EST
MAMAN...

?

MAIS NON~
MAMAN N'A
PAS TROP BU.

BIENTÔT ON VIVRA ENSEMBLE. EN ATTENDANT, NE MANQUE PAS L'ÉCOLE...

...

Et...

BOUOU...

HOU

Et là...

Il y a des pas rapides qui fuient la tristesse des autres...

PHOTO AVEC LES AMIS DU MARÉCAGE.
TOUT LE MONDE S'EN FOUT. SAUF LE CERF.

12 :

BONNE RÉPONSE

LÀ OÙ JE TRAVAILLE EN CE MOMENT, 'Y A UNE FILLE...

OH ! L'HÔTESSE DU BAR !

ÇA VOUS DIT D'ALLER BOIRE UN VERRE ?

AH, MOI, POU... POURQUOI PAS...

VOUS N'AVEZ PAS UNE TÊTE À FAIRE UN BOULOT PAREIL.

FAUT UNE TÊTE COMMENT ALORS ? ... ET PUIS VOUS POUVEZ ME TUTOYER.

MOI, EN VÉRITÉ, JE SUIS MAÎTRESSE D'ÉCOLE MATERNELLE LA JOURNÉE, C'EST DRÔLE NON ?

LA NUIT, JE VENDS DE L'ALCOOL, LE JOUR, JE LIS DES CONTES DE FÉE AUX PETITS, HÉHÉ...

... C'EST FATIGANT... SI JE COMPARE MA PAYE ICI, JE PEUX LAISSER TOMBER MON TRAVAIL DE JOUR N'IMPORTE QUAND.

JE CONNAIS MÊME PAS MA MÈRE... DEPUIS TOUTE PETITE, MON PÈRE EST MALADE. JE DOIS GAGNER ASSEZ POUR L'AIDER, MAIS JE PEUX PAS ABANDONNER MON RÊVE.

JE VOULAIS VRAIMENT DEVENIR MAÎTRESSE D'ÉCOLE MATERNELLE. SI J'ABANDONNE UNE FOIS, J'AI PEUR DE NE PAS POUVOIR REFAIRE CE MÉTIER...

HAA~ JE N'AI JAMAIS RACONTÉ CETTE HISTOIRE À PERSONNE. EN GÉNÉRAL, J'ASSUME TOUTE SEULE JUSQU'AU BOUT MAIS LÀ... PFFOU~

T'EN FAIS PAS.

...

T'AS PAS D'AUTRES CHOIX QUE DE PENSER À COURIR DERRIÈRE TES PROPRES RÊVES...

N'EST-CE PAS ? JUSQU'À CE QUE JE PUISSE TOUS LES AIDER, HEIN ?

C'EST PAS CE QUE JE VOULAIS DIRE... APRÈS TA RÉUSSITE, TU T'EN BALANCERAS DES AUTRES...

DE CEUX QUI ONT RÉUSSI, 'Y EN A PLEIN QUI VIVENT POUR LES AUTRES...

J'AI DIT LE CONTRAIRE ? CE QUE JE VEUX DIRE, C'EST QU'UN TYPE COMME TOI FAIT PAS PARTIE DE CEUX-LÀ...

13 :

JUSTE UNE MINUTE

#14 :
SE CONTENTER DE CE QU'ON A

Un néon allumé toute la nuit.

Une fumée de cigarette qui remplit la chambre.

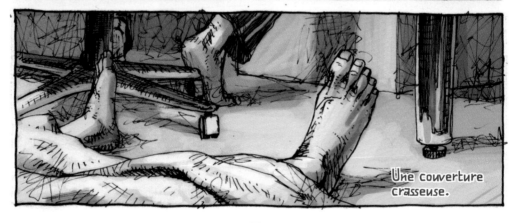

Une couverture crasseuse.

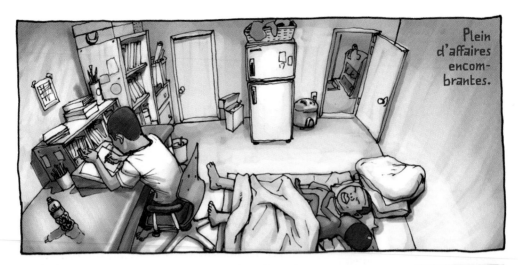

Plein
d'affaires
encom-
brantes.

Certains
appelleraient
ça la misère

J'AI ENCORE
GAFFÉ À LA STATION
SERVICE HIING~

Moi, je suis
heureux ici.

Avec des amis qui ne sont pas happés par le luxe et les futilités du monde.

MÊME CE SATANÉ CERF, IL A UN CÔTÉ MIGNON QUAND IL DORT...

J'ai un rêve précieux qui me fait vivre sur cette terre.

HALALA~ ALLEZ, MOI AUSSI AU DODO !

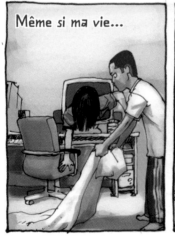

Même si ma vie...

... Ne s'améliore pas davantage...

... Je ne serai pas...

PLA DA DAK

77

15 :
JEONG-KUN

AUJOURD'HUI, C'EST À NOUS DE LEUR MONTRER !

AHOUNG~ TROP BON !

AHA~AHA~

...

OH, C'EST BON !

AHEUNG AHEUNG

TAP

TAP

TAP

AHANG

80

OHOH~ JEONG-KUN ! T'ES LE MEILLEUR.

TROP RÉEL ! TROP RÉEL !

EN FAIT, J'SAIS PAS...

Z'AVEZ ENTENDU ? MOI, J'AVAIS PAS L'IMPRESSION QUE... JE RÉES-SAIE...

AHANG~ AHANG~

...

...

HAAAA HAAAA

OOOOH ! C'EST GÉNIAL !

VOUS... VOUS TROUVEZ ? ET ÇA C'EST COMMENT ?

HAAAK HAAAK AAAA~

TU LES A TOUS EUS, LES COUPLES DU QUARTIER !

C'EST~ CALME !

Heu... reux

L'acclamation du public...

... est comme le feu d'une allumette qui peut s'éteindre tout de suite.

Et la place glorieuse...

HAO

HAO

AHANG~

AHANG~

AHANG~

AHEU

AHEU

Il sait qu'on ne peut la garder qu'au prix de lourds efforts.

ENCORE CE SPECTACLE...

ON AURAIT BIEN BESOIN DE JEONG-KUN... MAIS POURQUOI IL SORT À LA TOMBÉE DE LA NUIT... ?

mais cette place, vaut-elle la peine d'être gardée ?

16 :

LE PERDANT

*Appellation qui désigne un étudiant en année supérieure.

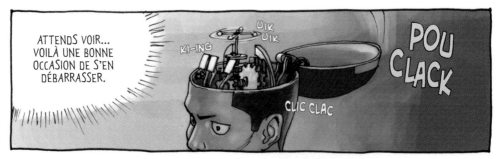

ATTENDS VOIR... VOILÀ UNE BONNE OCCASION DE S'EN DÉBARRASSER.

KI-ING

UIK UIK

CLIC CLAC

POU CLACK

ON RETROUVERAIT NOTRE VIE D'ÉTUDIANT COMME AVANT

J'oublie que même avant la venue du cerf, il n'y a jamais eu une telle ambiance.

SÛR ! C'EST LE MOMENT D'EN FINIR AVEC TOUTE CETTE SOUFFRANCE.

NON ! SI ON FAIT ÇA, ÇA RISQUE PLUTÔT DE FINIR COMME ÇA.

PAR VOTRE FAUTE, MA VIE EST GÂCHÉE.

JI... JINA !

La débauche totale

AAAAK

APPROCHE, JE VAIS T'APPRENDRE DEUX TROIS TRUCS...

JE NE PEUX PAS ABANDONNER CETTE JINA SI MIGNONNE, SI PURE, POUR MON SEUL CONFORT !

EUH... JINA.

ÇA ME GÊNE DE PARLER AINSI MAIS...

LE CERF N'EST PAS AUSSI MIGNON QUE TU CROIS. TU VAS PAS ME CROIRE, MAIS C'EST UN CHAUD LAPIN, SUPER ÉGOÏSTE, ET QUI FAIT N'IMPORTE QUOI...

ARRÊTE !

SEONBAE, JE NE TE VOYAIS PAS COMME ÇA, MAIS TU ES MÉCHANT.

SI TU NE VEUX PAS ME LE CONFIER, DIS-LE FRANCHEMENT. POURQUOI TU INSULTES AINSI CE PAUVRE CERF ? TU ME DÉÇOIS !

SLOUP

#17 :

DEUX FOIS PAR AN

LÈCHE !

ÇA... C'EST... UN PEU...

COMMENT OSES-TU ?

EH !

TOUJOURS LE MÊME CIRQUE AVANT DE PAYER VOTRE INSCRIPTION. Z'EN N'AVEZ PAS MARRE ?

...

DE TOUTE FAÇON ON DOIT PAYER, ON PEUT BIEN SE DÉFOULER NON ?

ON N'EN FERA PAS AUTANT À TON INSCRIPTION.

TU M'AS DÉJÀ VU PAYER MON INSCRIPTION, MOI ?

WAOOO ! T'AS ENCORE REÇU UNE BOURSE ?!?

S'IL VOUS PLAÎT, PARTAGEZ UN PEU VOTRE GLOIRE, AU MOINS SON EMBALLAGE...

EH, ÇA VA, DU CÂLME !

#18 :
MÉLANGE

93

94

19 :
L'OPTIMISME

POURQUOI TU SOURIS ?

ÇA TE REND HEUREUX ÇA ?

HEING !

TU T'ESTIMES HEUREUX AVEC CE GENRE DE JEU DE DÎNETTE ? TU TE VOILES LA FACE !

NORMALEMENT RÉSIDENCE SECONDAIRE = PLEIN DE JOLIES FILLES EN BIKINI ! MÊME LES ENFANTS SAVENT ÇA !

TOI-MÊME, TU PEUX PAS LE NIER !
OK, TU NE PEUX PAS POSSÉDER ÇA,
MAIS NE TE MENS PAS ! C'EST PAS
LE BONHEUR ÇA ! SI TU ES VRAIMENT
HEUREUX, REGARDE-MOI DROIT DANS
LES YEUX EN POSANT TA MAIN
SUR LE CŒUR ET DIS-LE MOI !

NON. MOI, JE
SUIS HEUREUX
AVEC ÇA.

IL EST FOU !
IL A PERDU
LA BOULE !

ça ne
touche pas.

#20 :
L'EXCEPTION

IL Y A DEUX CRITÈRES QUAND LA FEMELLE CHOISIT LE MÂLE.

HA-A~

ÇA Y EST, ELLE REMET ÇA MA POULETTE.

HOLÀ, QU'IL EST COSTAUD~

Dans le cas où elle choisit le mâle aux gènes supérieurs...

... une progéniture supérieure aux autres va naître.

PÈRE, J'AI QUELQUE CHOSE SUR LE VISAGE ?

CELUI-LÀ, IL N'A PAS L'AIR DE VENIR DE MOI.

TU M'ACCUSES DONC D'AVOIR ROUCOULÉ AVEC UN AUTRE ?!?

N... NON~ DISONS QU'IL NE ME RESSEMBLE PAS TANT QUE ÇA...

COMMENT ÇA ! VOUS AVEZ LE MÊME OCCIPUT !

Apparemment, 10 à 40 % des oisillons nés de couples monogames proviendraient d'une relation extra-conjugale. N.D.A.

101

Le critère de sélection du mâle chez certaines femelles de l'espèce humaine.

HIING~

La pitié !

À MOINS QUE CE SOIT AUTRE CHOSE QUE LA PITIÉ ! L'AMOUR PAR EXEMPLE...

NON, LA PITIÉ, C'EST SÛR, 'Y A PAS D'AUTRE HYPOTHÈSE.

21 :

AU RETOUR DU
SERVICE MILITAIRE

Maintenant, j'attends cette fille.

AH, PÈRE !

Moi qui suis parti à l'armée plus tôt que les copains...

PETIT VAURIEN ! JE M'EN DOUTAIS. ALLEZ OUSTE ! À L'ARMÉE, VITE !

Je ne connaissais plus personne à la fac à mon retour.

YUN TAE-HO !

MUN HUNG-MI ! NA BYONG-JAE !

BYUN KI-HYUN !

OUI CHEF !!! BYUN KY... !

ICI

OUI

LÀ

PRÉ... PRÉSENT.

La fac, avait complètement changé en quelques années. J'ai très vite perdu l'ardeur des premiers jours.

OUFFF~~ TU PARLES D'UN COURS TOI...

J'étais devenu un touriste qui erre ici et là.

C'est à cet instant... qu'elle apparut.

TIENS, C'EST POUR T'AIDER À RÉVISER L'EXAMEN DE LA SEMAINE PROCHAINE...

Sans être très jolie, elle était plutôt douce et attentionnée. Grâce à elle, j'ai commencé à retrouver une motivation.

BONJOUR !

Et puis ce soir est arrivé. Je m'étais endormi sur le bureau de la salle de dessin en travaillant tard, lorsque j'entendis sa voix.

NE RESTES PAS LÀ, TU VAS ATTRAPER FROID.

À cet instant, son visage m'est apparu si radieux.

KYUNG-HEE.

OU... OUI...

APPROCHE.

MAIS.... OUPS !

105

La voilà ma copine à moi...

CHÉRI !

Quand je pense à ce soir-là...

Je me demande...

CHÉRI, 'Y A PAS COURS CET APRÈM ! ALLONS AU CINÉMA.

... ce qui m'a pris... !

22 :

C'EST POSSIBLE ?

J'ai été vraiment stupide.

Sans même savoir ce que c'est, j'errais partout à la recherche de l'amour véritable.

Je ne savais pas que j'étais passée à côté de cet amour, il y a bien longtemps.

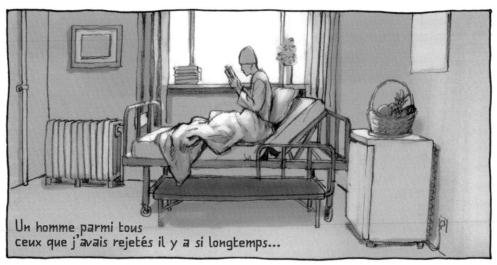

Un homme parmi tous
ceux que j'avais rejetés il y a si longtemps...

Pourquoi est-ce seulement
maintenant que j'arrive à
l'aimer ? Maintenant que
j'ai compris qu'il lui restait
moins de trois mois à vivre...

AU MOINS, GRÂCE
À MON CANCER,
JE PEUX VOIR MA
PETITE YOUN-JEONG
PLUS SOUVENT...

PARDONNE-MOI !
PARDON, JEONG-WOO !
JE NE SAVAIS PAS À
CE MOMENT-LÀ.
JE T'AIME.

HOU...

HOU...

Peut-être...
suis-je en train
de payer le prix...

De toutes les blessures
que je lui ai causées ?

Après l'avoir aimé
jusqu'à la fin de sa vie,
pour moi...

Il n'y aurait plus aucun
autre amour.

TIENS JEONG-WOO,
ENFIN VOUS VOUS
PROMENEZ ?

OUI, GRÂCE À
UNE VISITE QUI
M'ENCHANTE.

JE SUIS CONTENT DE VOUS VOIR SOURIRE.

Mais ce médecin...

ET OUI ! JE REPRENDS GOÛT À LA VIE, C'EST GRAVE DOCTEUR ? HAHAHA...

Il est troooop beau.

Mon cœur bat... ça doit être l'amour.

VOTRE PETITE AMIE, JE SUP- POSE ?

PAS DU TOUT !

110

À LA SORTIE DU MARCHÉ DE KYUNG-DONG,
LE 19 MAI 2005.

#23 :

JE N'AI JAMAIS BONDI SUR
LA GRAPPE DE RAISINS !

113

POURQUOI TU MARCHES LOIN DERRIÈRE NOUS ?

J'AI TROP HONTE.

HONTE DE QUOI ?

HONTE DE VOUS SUIVRE DANS UNE RUE PASSANTE CHARGÉS COMME DES BŒUFS, HONTE DE PRENDRE LE BUS, HONTE DE VOS HABITS EN DÉSORDRE... J'AI HONTE DE TOUT QUOI.

FAUTE D'ARGENT, ON VIENT JUSQU'ICI ACHETER MOINS CHER, FAUTE DE VOITURE ON MARCHE, ET PUIS QUE JE SACHE, ON CACHE LES PARTIES SENSIBLES DE NOTRE CORPS, ALORS T'AS HONTE DE QUOI ? T'AS PAS PLUTÔT HONTE DE TON ESPRIT BASSEMENT MERCANTILE ?

MON ESPRIT BASSEMENT MERCANTILE ! NE PARLE PAS COMME SI TU ÉTAIS LE SEUL À VIVRE EN DEHORS DES CRITÈRES DE CE MONDE ! TOI AUSSI TU AIMERAIS VIVRE DANS UNE BELLE MAISON, AVOIR UNE BELLE VOITURE ET T'HABILLER À LA MODE !?!

T'INQUIÈTE, JE CONNAIS TRÈS BIEN CES SOI-DISANT VALEURS D'AUJOURD'HUI.

...

ON CROÎT QUE TOUTES CES IMAGES DONT NOUS ARROSENT LES MÉDIAS ÇA NOUS REND DES GENS SPÉCIAUX MAIS ÇA NE SERT QU'À NOUS POUSSER À CONSOMMER, UN POINT C'EST TOUT.

CERTAIN RENARD GASCON, ..., MOURANT PRESQUE DE FAIM... VIT AU HAUT D'UNE TREILLE...

BIEN SÛR, SI UNE VIE RICHE ME TEND LES BRAS, JE NE CRACHERAI PAS DESSUS MAIS ÇA NE NOURRIRA PAS MON ÂME...

DES RAISINS MÛRS APPAREMMENT... MAIS COMME IL N'Y POUVAIT ATTEINDRE...

« ILS SONT TROP VERTS DIT-IL, ET BONS POUR DES GOUJATS ! » FIT-IL PAS MIEUX QUE DE SE PLAINDRE !?!

#24 :

L'HABIT FAIT LE MOINE

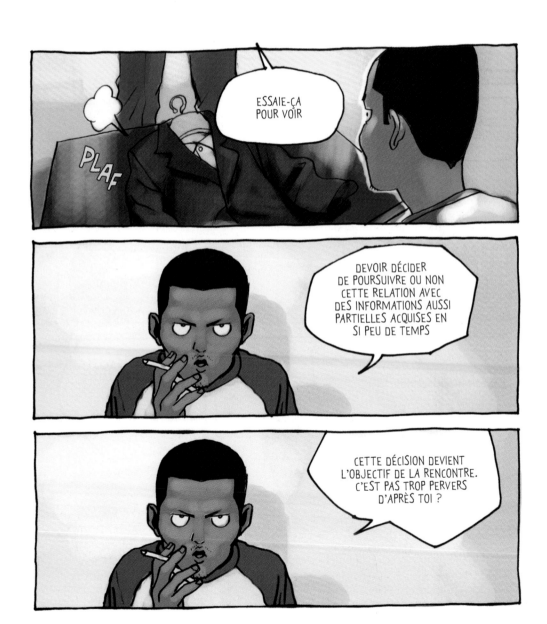

DANS CET ESPACE PERVERS, FACE À UNE PERSONNE, SI ELLE EST MOCHE, JE REGRETTE.

SI ELLE EST BELLE, JE FAIS TOUT POUR LUI PLAIRE ET JE VEUX PAS ME VOIR DANS CETTE SITUATION.

ELLE EST BELLE, T'INQUIÈTE PAS.

C'EST PAS CE QUE JE VEUX DIRE !

POURQUOI C'EST SI COMPLIQUÉ POUR UNE SIMPLE RENCONTRE ?

C'EST TOI QUI ES TROP SIMPLE MON GARS.

JE LUI AVAIS PROMIS DE LUI PRÉSENTER QUELQU'UN DE BIEN, MAIS LE RENDEZ-VOUS A ÉTÉ ANNULÉ. T'INQUIÈTE PAS, ELLE NE JUGE PAS SUR L'APPARENCE...

ACCEPTE JUSTE CETTE FOIS. AU MOINS, FAIS-LE POUR MOI. SINON TU ME REMBOURSES TOUT CE QUE T'AS PRIS DANS MON FRIGO.

25 :

1%

Dans un quartier où l'on ne voit que des voitures de luxe...

Dans un café, une ambiance inhabituelle...

VOTRE COSTUME VOUS VA TRÈS BIEN.

Une très belle fille qui aurait vécu sans soucis dans une famille aisée...

ON ME L'A PRÊTÉ.

SAUF L'UNIFORME DU LYCÉE, C'EST LA PREMIÈRE FOIS QUE JE PORTE UN HABIT DE PLUS DE 100 000 WONS.

Et...

Un garçon tordu jusqu'à l'os devant elle.

L'effet est immédiat.

PFOUFOUFOUFOU!

POURQUOI VOUS RIEZ, JE SUIS SÉRIEUX.

Elle est très charmante.

60% de son charme vient de sa beauté.

39% vient certainement de son milieu aisé.

Je suis séduit par le 1% restant !!

MOI AUSSI... VOUS ME PLAISEZ.

PFOUHOUHOU ! QUEL SOURIRE DE GIGOLO !

26 :
PLAISANTERIE ?

127

L'AMOUR, D'ACCORD, MAIS SI TU NÉGLIGES TES POTES, TA VIE DE CETTE MANIÈRE...

ILS RESSENTENT QUOI, TES POTES, D'APRÈS TOI ?

QUOI ?

ON T'ENVIE.

POU HA HA HA

J'AI FAIT RIRE, HEIN ?

JE ME SUIS PAS BEAUCOUP ENTRAÎNÉ...

TOUT LE MONDE LE FAIT

COMBIEN T'AS DÉPENSÉ AUJOURD'HUI ?!?

TU SAIS QUE PÈRE VIT AVEC 40 000 WONS D'ARGENT DE POCHE PAR MOIS ? TU Y PENSES À ÇA ?

ÇA... C'EST SIMPLEM...

SIMPLEMENT UN FLIRT.

PAS UN CRIME. TOUT LE MONDE PEUT...

SIMPLEMENT UN FLIRT.

#28 :

ELLE...

SI C'EST À CAUSE DE LA MORT DE JEONG-WOO,

JE VOUS ATTEN-DRAI LE TEMPS QU'IL FAUDRA

HAA...

IL Y A UN MALENTENDU. ENTRE VOUS ET MOI... IL N'Y A RIEN

AVANT QUE CELA NE DEVIENNE ENCORE PLUS RIDICULE, LAISSEZ-MOI ET PARTEZ.

29

DE L'HISTOIRE ANCIENNE

ON ME L'A PRÊTÉ, CE COSTUME.

Au début, je le trouvais juste drôle.

UNE VOITURE ?

J'AI MÊME PAS LE PERMIS. ALLONS MARCHER.

J'ai tout de suite remarqué qu'il était différent des autres hommes que j'avais rencontrés jusqu'ici.

WAOU~

C'EST VACHEMENT BIEN FAIT.

PENDENTIFS (PORTABLES)

137

TIENS, CADEAU.

Pour celui qui possède déjà un porte-clé à 300 000 wons

Se voir offrir sans gêne un porte-clé à 2000 wons...

J'ai même cru un instant que c'était lui l'homme de ma vie.

JE CONDUIS MAINTENANT.
... DE L'ALCOOL ? BIEN SÛR QUE J'EN AI BU, ET MÊME BEAUCOUP. QU'ON DEVIENNE ENNEMIS OU PAS, JE VEUX EN AVOIR LE CŒUR NET...

Mais il faut savoir que j'étais très en colère ce jour-là.

JE VEUX SAVOIR CE QUE C'ÉTAIT QUE CES SOURIRES, CES MOTS DOUX QUE VOUS M'AVEZ DITS.

D'ACCORD. ON SE VOIT OÙ ?

VRAIMENT DÉSOLÉE MAIS JE DOIS PARTIR...

À BIENTÔT.

Entre nous deux, ça pouvait marcher.

YOUN-JEONG !

Si seulement il n'avait pas prononcé cette parole

JE T'AIME.

Que tous les hommes sortent si légèrement.

QUOI QU'IL ARRIVE... JE T'ATTENDRAI.

PENDANT TON ABSENCE, J'AVAIS PEUR QUE TU ME QUITTES...

30

HOMICIDE VOLONTAIRE

'Y A DES FILLES COMME ÇA.

ÇA ALORS...

ELLES FONT TOUS LES TRUCS DES AMOUREUX...

MAIS ELLES NE DISENT JAMAIS "JE T'AIME".

SANS CETTE PAROLE, ELLES PENSENT QU'IL N'Y A RIEN DE CONCRET.

COMME ÇA, ELLES LAISSENT TOUJOURS LA PORTE OUVERTE À DE NOUVELLES CONQUÊTES.

LES VILAINES !

ELLES FERAIENT MIEUX DE S'AMUSER AVEC UN PRO-FESSIONNEL COMME MOI...

PEUT-ÊTRE À CAUSE DES FEUILLETONS À L'EAU DE ROSE, ELLES CHERCHENT SANS ARRÊT 'LE GRAND AMOUR'.

MA COPINE, ELLE EST PAS COMME ÇA.

...

ELLES IGNORENT QU'ELLES S'IMMUNISENT EN FAIT CONTRE L'AMOUR. ELLES RECHERCHENT TOUT LE TEMPS LA FRAÎCHEUR DES SENTIMENTS DE L'ADOLESCENCE SANS SAVOIR QU'ELLES SONT DÉJÀ BLASÉES... MAIS COMME C'EST IMPOSSIBLE, ELLES CHANGENT DE GARÇON...

SI L'ON RENCONTRE CE GENRE DE FILLE, IL NE FAUT PAS INTERPRÉ-TER LEURS FAITS ET GESTES AU DELÀ DE CE QU'ILS SONT.

DES SIMPLETS COMME VOUS VEULENT TOUJOURS DONNER UN SENS PROFOND À UNE DOUCE PAROLE OU UNE CARESSE.

POUR ELLES, CE N'EST QU'UN SENTIMENT PASSAGER. UNE MINUTE PLUS TARD, ON NE SAIT PAS CE QUE ÇA DEVIENT. D'ACCORD, AVEC UN ÉPICURIEN COMME MOI, ÇA NOUS FAIT DES POINTS EN COMMUN...

TOUT EXCITÉ PAR LES PREMIÈRES MARQUES D'AFFECTION QU'IL REÇOIT DANS SA VIE, LE SIMPLE D'ESPRIT, NOYÉ DANS LE BONHEUR... BÂTIT TOUTES SORTES DE PROJETS

EN CROYANT QUE C'EST L'AMOUR OU LE DESTIN

?

SI TOUT À COUP, ELLE SE MONTRE FROIDE OU DONNE MOINS DE NOUVELLES, IL COMMENCE À SE SENTIR SUPER EMBARRASSÉ.

DANS CE CAS, VOUS SAVEZ COMMENT RÉAGISSENT LES SIMPLETS ?

EUH... SUICIDE ?

ILS LEUR CONFESSENT LEUR AMOUR !

AVEC DES PAROLES, ILS TENTENT DE CONSOLIDER LA RELATION À COUPS DE « JE T'AIME MACHIN CHOUETTE... » ET EN PLEURNICHANT... ET ALORS, LÀ, C'EST LA FIN. TCHAO CIRCULEZ 'Y A RIEN À VOIR...

NON C'EST PAS ÇA !

??? ...

UN CAU-CHEMAR ?

EN GROS, LES NAÏFS COMME VOUS DOIVENT DONC SE MÉFIER. SINON PHYSI-QUEMENT ET MORALEMENT VOUS SEREZ ATTEINTS...

UN TYPE QUE JE CONNAIS S'EST ENDETTÉ AVEC ÇA ET DOIT FAIRE JOUR ET NUIT DES PETITS BOULOTS...

TU VAS OÙ DÈS L'AUBE ?

EUH... MALGRÉ LA CRISE ÉCONO-MIQUE... LES GENS ÉVITENT LES TÂCHES DIFFICILES... POUR DONNER UN COUP DE MAIN AU REDRESSE-MENT ÉCONOMIQUE EN MATIÈRE DE CONSTRUCTION...

TU VAS DONC AU BUREAU DE SERVICE ?

PRENDS LE P'TIT DÉJ' AU MOINS...

ÇA... ÇA VA.

TCHAK dans le mille !

MAMAN,
MAMAN !

UN CERF,
UN VRAI CERF.

UN VRAI CERF DANS
UN GRAND MAGASIN,
ÇA N'EXISTE PAS,
C'EST UN CHIEN.

...

UN CHIEN...?

AH, CHÈRE
CLIENTE

ÇA, C'EST UN
VRAI CERF...

145

NON MAIS CELLE-LÀ, ÇA VA PAS DE TRIPOTER LE CORPS DES AUTRES ? ÇA PEUT ARRIVER QU'UN CERF N'AIT PAS DE BOIS ! EN PLUS, QUI JUGE AUJOURD'HUI UN CERF SEULEMENT SUR SES BOIS, QUELLE VULGARITÉ...

OUUIIINN~~

SACREBLEU, J'ESPÉRAIS ME FAIRE UN PEU D'POGNON - TSSS

RENTRONS

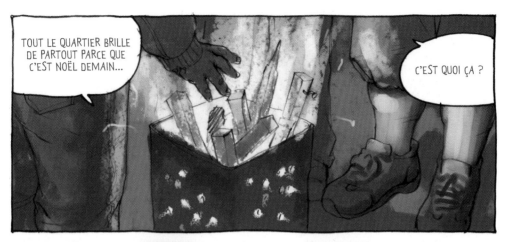

TOUT LE QUARTIER BRILLE DE PARTOUT PARCE QUE C'EST NOËL DEMAIN...

C'EST QUOI ÇA ?

T'AS DIT QUE T'AS FAIT L'ÉCOLE PRIMAIRE ET TU NE SAIS PAS ÇA ? C'EST L'ANNIVERSAIRE DE JÉSUS.

TU CROIS VRAIMENT QUE JE L'SAIS PAS ?

JE FÊTE MÊME PAS MON ANNIVERSAIRE ALORS CELUI D'UN ÉTRANGER DÉJÀ MORT... ILS N'ONT RIEN D'AUTRE À FAIRE ?

ÉTUDIANTS, VOUS NE TRAVAILLEZ PAS VOUS DEMAIN, HEIN ? LES JEUNES LE FÊTENT ÇA, NOËL.

EUH... PAS VRAIMENT. ON N'EST PAS SI PROCHES QUE ÇA. NOUS NON PLUS, ON LE FÊTE PAS...

Que ce soit dans les lieux de fêtes

ou là où les peines se transforment en haine

bénissez-nous tous de votre amour.

Happy birthday to you.

32 :

HORS-SUJET

149

ON SE VANTE QUAND ON CONSIDÈRE AU MOINS LES AUTRES, MAIS EUX...

ILS PENSENT QU'IL N'Y A QUE LEUR ÉCOLE DANS LE MONDE.

ILS SE SONT INSCRITS À L'UNIVERSITÉ OU À L'ARMÉE DE PROTECTION DE LA TERRE ? POURQUOI SONT-ILS À CE POINT PERSUADÉS QUE C'EST LEUR MISSION DE PROTÉGER LE MONDE ?

PARMI MES COPAINS, 'Y EN A UN QUI EST DANS LE DÉPARTEMENT DE DROIT DE CETTE ÉCOLE, SA SUPÉRIORITÉ, C'EST PAS UNE PLAISANTERIE ! SON REGARD, SA FAÇON DE PARLER...

J'AI UN POTE QUI ÉTUDIE LE MANAGEMENT À OXFORD,

CE GARS-LÀ, IL PARLE QU'EN ANGLAIS QUAND ON SE VOIT

MOI, J'AI UN POTE QUI EST AU M.I.T. ...

MOI, J'AI UN POTE QUI EST EN DOCTORAT À HARVARD...

À NOTRE ÂGE, DÉJÀ EN DOCTORAT ? IL FAIT PAS SON SERVICE MILITAIRE ?!?

SON PÈRE EST VACHEMENT RICHE ET DÉPUTÉ !

ON EST POTES DEPUIS LA NAISSANCE ET JE SAIS TOUT SUR LUI !

ELLE SORT D'OÙ CETTE ÉCOLE ?!?

MON POTE À MOI IL EST EN SUPER SUPER DOCTO-RAT DE SUPRA-ANTHRO-POLOGIE À L'UNIVERSITÉ OHLALAKANTATA...

LES GENS NORMAUX NE LA CONNAISSENT PAS. COMME ON EST POTES D'AVANT LA NAISSANCE, JE SAIS TOUT SUR LUI !

PARMI MES POTES... !!

ÇA... ÇA SUFFIT, ARRÊTONS.

NON, CONTINUE, C'EST AMUSANT.

#33 :

LES CONDITIONS POUR ÊTRE AMIS

COUCOU~

...

...

FROT
FROT

Jeong-kun est gentil. Il ne se plaint jamais de s'occuper tout seul du ménage, sans l'aide des autres,

il paie même à ses copains un poulet grillé ou une pizza... en plus, il n'oublie jamais un cadeau d'anniversaire.

SA FAMILLE EST RICHE ?

POURQUOI ?

PARCE QUE LES RICHES SONT GÉNÉREUX.

À MA CONNAISSANCE, NON. ELLE N'EST PAS SI RICHE...

TIENS DONC...

Mais alors dans ce cas...

C'est...

La différence d'étoffe ?!?

Grand homme

Petits hommes

LES GARS, JE VOUS AI PRÉPARÉ DES NOUILLES SAUTÉES.

YOUPI !

J'AI MÊME RAJOUTÉ DES POIREAUX.

?

ÉTOFFE...

ÉTOFFE...

PETITS...

PETITS...

SLOURP...

SLOURP...

JAE-HO EMBRASSANT HYUN-JUNG, CHOE-KUN ET
LE CERF QUI SUPPORTENT JEONG-KUN LE GRAND.
TRAVAIL DE MONG-CHAN EN 3D.

LEUR FÊTE À EUX

ni de grandes félicitations,

161

#35 :
DÉLICAT

TENTATIVE DE SUICIDE D'UNE ENSEIGNANTE QUI ÉTAIT MOQUÉE PAR LES ÉLÈVES À CAUSE DE SON APPARENCE PHYSIQUE ?

LÀ LÀ~ LES MINOTS DE L'ÉCOLE PRIMAIRE ILS FONT PEUR.

CES PETITS MORVEUX ! FAUT LES FRAPPER JUSQU'À CE QUE LEURS JOUES ENFLENT COMME LEURS FESSES...

HWAK

ON NE PEUT PAS CRITIQUER QUE LES ENFANTS. À L'ÉCOLE ON NE LEUR INCULQUE QUE L'ESPRIT DE CONCURRENCE

LES MASS MÉDIA NE PRÔNENT QUE L'APPARENCE ET L'ARGENT COMME SI C'ÉTAIT LES SEULS CRITÈRES DE JUGEMENT ...

HO-OH~ T'ES PAS PREMIER DE LA CLASSE POUR RIEN TOI !

C'EST UN FAIT DE SOCIÉTÉ QUI RÉVÈLE LES CARENCES EN MATIÈRE D'ÉDUCATION DE LA NATURE HUMAINE.

Quelle réaction trop brutale, trop émotive j'ai eue.

Si j'avais réfléchi un peu plus, moi aussi, j'aurais parlé comme ça...

Concurrence... média... critère de jugement... carences en matière d'éducation...

DÉJÀ, POURQUOI ILS ONT EMBAUCHÉ UNE PROF MOCHE ? LES ADULTES, N'ONT-ILS PAS LE DEVOIR DE NE MONTRER QUE DES BELLES CHOSES AUX ENFANTS ?

S'ILS AVAIENT CHOISI UNE BELLE FILLE DÈS LE DÉBUT, ÇA NE SE SERAIT JAMAIS PRODUIT. ILS ONT VEXÉ LES ENFANTS POUR RIEN... CETTE PROF, ELLE AURAIT PAS DÛ SE RATER.

...

...

...

La stupéfaction devant un tel propos remplit la chambre d'un lourd silence,

...

...

...

QU... QUOI... QU'EST-CE Q... QUE J'AI DIT DE M... MAL ?

Devant un tel argument contre l'humanité, le locuteur lui-même choqué, hésita à l'assumer jusqu'au bout

Que je suis bête !

Le droit pour les enfants de ne voir que de belles choses... personne ne peut répliquer à ça. C'est simple, suprême.

TU SAIS, UNE ENSEIGNANTE DE L'ÉCOLE PRIMAIRE A TENTÉ DE SE SUICIDER CAR LES ENFANTS SE MOQUAIENT DE SON APPARENCE...

ÇA ALORS. C'EST INCROYABLE.

LES PETITS ONT LE DROIT DE GRANDIR EN NE VOYANT QUE DES BELLES CHOSES ! SI ELLE VOULAIT EN FINIR,

FALLAIT PAS QU'ELLE SE RATE. POURQUOI AVOIR VEXÉ LES ENFANTS ?

HO ! COMMENT PEUT-ON ?

SCANDALEUX !

SALAUD, T'ES PAS HUMAIN !!!

Pourquoi la réaction... est si différente chaque fois ?

LA CERF-ATTITUDE

OUF

OUF

Maintenant je vais la rejoindre

Je l'ai délaissée quelques jours pour réfléchir. Mais je sais maintenant qu'elle compte vraiment pour moi.

VOUS ÊTES TOUJOURS ENSEMBLE ? WAOOUUU~

EN TE VOYANT, ON SE REMET À CROIRE EN LA GRANDEUR DE L'AMOUR.

Il fallait ignorer les paroles des copains.

100 % SYNCHRO

J'AI BESOIN DE RÉFLÉCHIR SÉRIEUSEMENT À NOTRE RELATION. ÇA PRENDRA PAS BEAUCOUP DE TEMPS, TU PEUX M'ATTENDRE ?

O...PPA*...

Ceux qui ont vendu leur âme aux filles qui passent leur temps à se pomponner, la tête creuse,

ne peuvent pas comprendre notre amour.

Alors que la femme qui brûle sa passion jusqu'au bout de la nuit est là.

402 SALLE DE BD

*Appelation affectueuse. N.D.T.

KYUNG-HEE ?
ELLE EST PAS SUR
LA TERRASSE ?

Je ne la ferai jamais
souffrir à cause de ma stupidité.

KY... !!!

KYUNG-HEE !
QU'EST-CE...

ENTRE NOUS...
C'ÉTAIT PAS FINI ?

...

Un garçon qui
se voulait large en
acceptant une fille
imparfaite,

MOI AUSSI...
JE POUVAIS
ME FAIRE
LARGUER ?

arrive, par
son expérience,
à tirer la pire
des conclusions,
pourtant si
banale.

LA PROCHAINE
FOIS AU MOINS,
JE SORTIRAI AVEC
UNE JOLIE
FILLE !!!

JE SERAI MOINS
DÉGOÛTÉ COMME ÇA...

#37:
JEU DE RÔLE

MADAME ! C'EST BON, OUVREZ LES YEUX ET REGARDEZ UN PEU VOTRE FILS, VOICI KANG JAE-HO !

HWAK

TiNG

...

...

HOHOHOHO ALORS LÀ~

TU ES GENTILLE MA PETITE, MERCI.

38 :

LES SOUFFRANCES DU CERF

JE T'AVAIS DIT DE PRENDRE LE BUS... ON A FAILLI CREVER.

WHAOU~ ON EST ENCORE VIVANTS APRÈS ÇA, INCROYABLE...

AÏE, AÏE, AÏE,

VOUS SEREZ HOSPITALISÉS TROIS JOURS ET ON VERRA LES RÉSULTATS APRÈS.

EUH... ON N'A PAS... VRAIMENT... MAL...

HOLÀ ! ON N'A PAS D'ARGENT... POUR UNE SIMPLE ÉGRATIGNURE.

POUR RECEVOIR UNE INDEMNISATION SUFFISANTE, FAUT PAS HÉSITER À EN RAJOUTER. SI VOUS FAITES COMME ÇA, QUI VA VOUS DÉDOMMAGER ?

ON N'EST PAS VRAIMENT BLESSÉS. EN FAIRE AUTANT, C'EST PAS UN PEU...

ÇA, C'EST UN RAISONNEMENT TYPIQUE DE VOTRE ESPÈCE ! TU CROIS QU'IL N'Y A QUE LA BLESSURE PHYSIQUE QUI COMPTE ? ET TON TEMPS PRÉCIEUX, ET LE CHOC PSYCHOLOGIQUE ?!?

COMMENT TU VAS FAIRE S'IL Y A DES SÉQUELLES APRÈS ? QUAND C'EST LE MOMENT D'EN PROFITER, FAUT PAS SE GÊNER !

EUHUM...

OH VOUS SAVEZ... ON EST RESTÉS QUELQUES JOURS ET IL N'Y A AUCUN PROBLÈME...

PASSONS ALORS À L'ARRANGEMENT À L'AMIABLE...

AÏE

MERCI BEAUCOUP, ON A MÊME MANGÉ GRATUITEMENT HIHI...

AHLÀLÀ MON DOS, MES BOIS, MES JOLIS BOIS PRÉCIEUX QUI COÛTENT CHERS... HOUHOUHOU...

MAIS DÈS LE DÉBUT, IL N'Y AVAIT POURTANT PAS DE BOIS...

VOUS PLAISANTEZ ? À CAUSE DE CET ACCIDENT, ON A RATÉ UN CONTRAT DE DEUX CENTS MILLIONS DE WONS. VOUS ALLEZ RÉPARER ÇA ?

MAIS VOUS N'AVEZ PAS DE TRAVAIL...

Z'AVEZ VU ? Z'AVEZ VU ? MES TALENTS SPLENDIDES DE NÉGOCIATEUR...

EN UNE SECONDE JE ME SUIS FAIT 700 000 WONS. HEUHEUHEUHEUHEU...

700 000 ? NOUS AUSSI, ON A REÇU 700 000.

...

T'ÉTAIS PITEUX

CHER PATIENT, VOUS ÊTES SUPER MALADROIT. HOHOHO...

TOUT OU RIEN

Aller

OUF~

EN TOUS CAS...

ON S'INQUIÈTE MOINS DE SE FAIRE PIQUER UNE VOITURE.

EXPÉRIENCE DE TERRAIN (2)

HÉ, TU PARLES DU BAR OÙ LA BOUTEILLE EST À 6000 WONS ? T'AS VENDU TON CORPS POUR UNE FOLIE PAREILLE ?!?

OH J'AI PEUR LÀ...

VOUS AVEZ BESOIN DE STIMULATION ! NE CROYEZ PAS QUE VOTRE CHAMBRE EN DEMI SOUS-SOL SOIT QUELQUE CHOSE DE NORMAL.

ET PUIS POURQUOI TANT DE BLABLA. VOUS N'AVEZ QU'À ME SUIVRE, JE VOUS INVITE.

SOYEZ LES BIENVENUS.

VOUS ÊTES QUATRE ?

Si on n'était pas clients, elles n'auraient jamais fait un sourire pareil...

ON S'EST PAS DÉJÀ VUS QUELQUE PART ?

POUR MOI, C'EST LA PREMIÈRE FOIS QUE JE VOIS UN VRAI CERF.

C'EST LA PREMIÈRE FOIS POUR VOUS ICI, N'EST-CE PAS ?

LÀ, JE SAVAIS PAS QUOI DESSINER... HIHI

Une attention bienveillante, de la conversation gaie...

Qui coûtent 6000 wons.

DANS UN BAR MÊME, C'EST LA PREMIÈRE FOIS.

REGARD QUI VEUT AFFICHER SON DÉSINTÉRÊT POUR LES 6000 WONS DÉPENSÉS.

PEUT-ÊTRE BIEN DANS UN RÊVE, ÇA NE VOUS DIT RIEN ?

HOO-WONG...

JE SENS QUE LES ÂMES DE CES DEUX VERRES SONT SŒURS MAIS ILS L'IGNORENT

PARCE QU'ILS CONTIENNENT DES BOISSONS DIFFÉRENTES DEPUIS LONGTEMPS.

QU'EST-CE QUE TU FAIS ?

S'ILS LE SENTAIENT, ILS COMPRENDRAIENT LE VRAI SENS DE LA VIE. CONFINÉS DANS LEUR FORME ET LEUR COULEUR, ILS NE PEUVENT PLUS ÉCOUTER LEUR ÂME.

C'EST L'ODEUR QUI TE SOÛLE ?

LE SANG DU CERF, C'EST TRÈS BON POUR LA PEAU... ÇA VOUS TENTE ?

JE LES CASSE POUR VOIR !

POOUHÂÂK

ÇA N'A PAS L'AIR D'ÊTRE UNE BONNE IDÉE.

CERTAINS VIVENT EN ENNEMIS, ALORS QU'ILS AURAIENT PU ÊTRE DES ÂMES SOEURS S'ILS S'ÉTAIENT RENCONTRÉS À UN AUTRE MOMENT, SOUS UNE AUTRE FORME. MAIS CE QUI EST IMPORTANT C'EST QUE LEUR FORME ACTUELLE LES PROTÈGE, MÊME SANS ÊTRE TRÈS JOLIE...

UN JOUR, ILS POUR-RAIENT FUSIONNER DANS LE FEU ET DEVENIR UNE BOUTEILLE.

EUHUM...

Ça, ça vaut plus de 6000 wons.

185

#41 :
PLUTÔT

SI ELLE NE SE MONTRE PAS FROIDE ENVERS TOI, C'EST QU'ELLE VEUT JUSTE AVOIR UN MEC DE PLUS QUI L'AIME. C'EST TOUT. UNE FILLE ÉLÉGANTE ET SI JOLIE N'A RIEN À FAIRE AVEC UN TYPE SI PAUVRE ET SANS AVENIR COMME TOI.

C'EST VRAI... APPAREMMENT, ELLE VOIT TOUS LES JOURS CE GARS QUI ROULE EN BMW CABRIOLET...

ILS NE SORTENT PAS ENCORE ENSEMBLE...

C'EST VRAI...

D'ACCORD ! ILS NE SONT PAS ENSEMBLE ! MAIS LUI, ELLE LE VOIT, AU MOINS. ET TOI DANS TOUT ÇA ? COMME T'ES PAUVRE, ELLE T'A MÊME PAS DANS SA LISTE...

ELLE N'EST PAS COMME ÇA !

CE MEC, C'EST JUSTE QUELQU'UN AVEC QUI ELLE SE SENT À L'AISE, C'EST TOUT !

HA ! HA ! BIEN SÛR, ELLE EST À L'AISE. PAS BESOIN DE MARCHER NI D'AVOIR FROID ! AVEC DU FRIC, ON EST TOUJOURS À L'AISE !

T'AS BEAU LUI ENVOYER DES MILLIERS DE LETTRES D'AMOUR, POUR ELLE C'EST QU'UN JEU D'ENFANT. T'ES COMPLÈTEMENT À CÔTÉ... TSSS TSSS TSSS...

189

CHÉRI~
ON NOUS
REGARDE

ET ALORS ?

ÇA ROULE POUR NOUS.
ON A FAIT LE POINT SUR
NOS SENTIMENTS.

MERCI DE M'AVOIR
ÉCOUTÉ PENDANT
TOUT CE TEMPS.

...

Va plutôt vers le riche !!

Au moins, on peut te critiquer...

LA BEAUTÉ VÉRITABLE

Et elles ont trop facilement ce que je ne peux pas posséder.

Ces filles qui ne découvrent l'amertume de la vie qu'après la mort de leur chien ou un échec amoureux...

Pendant qu'elles
s'amusent,

je dois économiser
mon sommeil pour
travailler. Parfois
c'est fatigant
et triste.

Ces filles
connaîtraient-elles la
joie et l'espoir de celle
qui prend en charge sa
propre vie ?

Ainsi...

Nez
REFAIT

Mon nez
est le plus joli
du monde
entier.

Même s'il n'y a pas
grande différence
en apparence.

43 :

UN TALENT, ÇA SUFFIT

44 :
L'HOMME VIT DE QUOI ?

L'INÉBRANLABLE PREMIER DE LA CLASSE.

C'EST POUR DEMAIN LE DEVOIR DE BD, VOUS SAVEZ ?

FAITES PAS SEMBLANT DE RIEN ENTENDRE !

LES FUGUEURS DE LA RÉALITÉ.

ILS SONT DRÔLES EUX, PAS VRAI ?

MMM.

VOUS SAVEZ QUE VOUS ALLEZ REGRETTER AU DERNIER MOMENT, ALORS POURQUOI VOUS TRAÎNEZ ?!?

Choe-Kun, étudiant modèle depuis toujours, est contrarié par ses amis qui fuient leurs études.

EN TRAVAILLANT UNE BONNE FOIS POUR TOUTE, VOUS ÊTES TRANQUILLES APRÈS !

JEONG-KUN, SI TU T'ABSENTES ENCORE UNE FOIS, TU VAS TE RAMASSER UN F. ÇA SERT À QUOI DE PAYER L'INSCRIPTION ALORS ?

ET TES COPAINS DE CHAMBRE ?

JE... JE LES AVAIS POURTANT RÉVEILLÉS...

Des fois, j'ai envie de fermer les yeux mais malgré tout, je m'inquiète pour eux.

HAA !

BIP BIP BIP BIP...

CHTONG

HÉ ! HO ! RÉVEILLEZ-VOUS, ON EST EN RETARD !

SA TENUE DEPUIS LE RETOUR DE L'ÉCOLE.

VOUS CROYEZ QUE JE N'AI PAS SOMMEIL MOI ?

MOI AUSSI J'AIMERAIS DORMIR TRANQUILLEMENT JUSQU'À CE QUE QUEL-QU'UN ME RÉVEILLE !!!

...

201

JE VOIS, FAUTE DE POUVOIR FAIRE LA MORALE À TES POTES, TON SENTIMENT DE SUPÉRIORITÉ EN A PRIS UN COUP.

NON, ÇA N'A RIEN À VOIR ! JE M'INQUIÈTE SIMPLEMENT DE L'AVENIR DE NOTRE MONDE EMPORTÉ PAR LES VAGUES DU NÉO-LIBÉRALISME !

LE MARÉCAGE VERSION LUXE. J'AI BEAU MASQUER NOTRE PAUVRETÉ,
JE M'EN DOUTAIS, AVEC NOUS, CE N'EST PAS DU TOUT NATUREL.

DE L'INTÉRÊT D'ÊTRE PAUVRE

> OH ? TU T'ES ACHETÉ DES NOUVEAUX CRAYONS ? FILE-MOI LES ANCIENS.

> POUR CE QUI RESTE...

> TU PEUX PAS T'EN PAYER UNE BOÎTE PLUTÔT ?

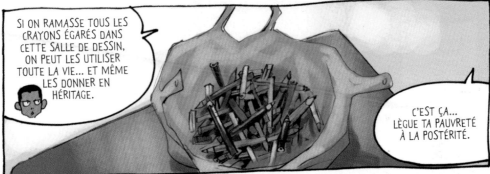

> SI ON RAMASSE TOUS LES CRAYONS ÉGARÉS DANS CETTE SALLE DE DESSIN, ON PEUT LES UTILISER TOUTE LA VIE... ET MÊME LES DONNER EN HÉRITAGE.

> C'EST ÇA... LÈGUE TA PAUVRETÉ À LA POSTÉRITÉ.

La pauvreté a parfois des côtés positifs.

₩60.000

...

ARRÊTE DE TRIPOTER...

FROT FROT...

C'EST PAS GRAND CHOSE, J'ACHÈTE ?!

Moi qui n'avais jamais connu le plaisir de posséder quoi que ce soit.

CLING

CLANG

NON, TU CROIS QU'ON DESSINE MIEUX AVEC DU BON MATÉRIEL ? ACHÈTE PLUS TARD.

MÊME RÉFLEXION DEPUIS SIX ANS.

SYSTÈME DE FREINAGE INTERNE.

ON SE FAIT UNE PARTIE ?

RÂÂÂÂÂÂÂÂ... ! POURQUOI FAUT QUE ÇA TOMBE TOUJOURS EN PLEIN EXAMEN !

Moi qui n'ai jamais joué en dépensant de l'argent, la question entre « loisir » et « étude » ne se pose pas.

CONFIE-MOI TON ÂME ET LÂCHE-TOI~~~

COMMENT FAIRE ? J'AI CRAQUÉ POUR DES PAQUETS DE KAEJANG*, ET MAINTENANT JE N'AI QUE ÇA À MANGER PENDANT DEUX SEMAINES.

Au moins j'ai toujours un peu de marge pour dépenser par rapport aux potes qui sont plus riches que moi.

SEONBAE~ JE N'AI RIEN À MANGER AUJOURD'HUI...

Quand j'en rencontre un plus pauvre que moi

AH BON ?

Je peux me permettre de lui offrir un repas chaud.

JE... JE T'INVITE ALORS.

IL PARAÎT QUE VOTRE VERGER NE RAPPORTE PLUS BEAUCOUP. LA SITUATION FAMILIALE EST TRÈS DIFFICILE ?

COM-MENT ?

ÇA ON S'EN FOUT, PARCE QUE C'EST JUSTE LE PASSE-TEMPS DE MON PÈRE.

COMME IL JETTE L'ARGENT PAR LES FENÊTRES, MA MÈRE EST EN COLÈRE...

*Crabe mariné dans la sauce de soja. Plat coûteux. N.D.T.

DANS CE CAS... POURQUOI TU SAUTES LES REPAS SI SOUVENT ?

MA COPINE ME POUSSE À ACHETER UNE VOITURE, ALORS JE COMPTE EN ACHETER UNE D'OCCASION AU MOINS...

JE VOUS FERAI MONTER DEDANS, LA PROCHAINE FOIS.

WAOU~ VOUS ÊTES VRAIMENT LE SEUL À NE JAMAIS MANQUER D'ARGENT.

Avec l'argent de réserve...

Investissons dans la terre.

46 :

UN JOUR, TOUT EST
DEVENU SI FACILE

C'EST MOI.

OHO~~ ! SUPER LES FRINGUES !

TU T'ES RÉSIGNÉ À CASSER TA TIRELIRE OU QUOI ? COMBIEN T'AS CLAQUÉ ?

TEE-SHIRT, CEINTURE ET PANTALON, AU TOTAL 200 000 WONS À PEU PRÈS.

QUOI !

HEIN ?

KI~ING~

C'EST LE PRIX À PAYER AUJOURD'HUI, QU'EST-CE QUI VOUS ÉTONNE ? J'AI EU 20 % DESSUS EN PLUS.

...

QU'EST-CE QUI T'ARRIVE ? T'AS ENCORE MAL AUX DENTS ?

MOUAIS...

COMME IL PEUT PAS MÂCHER, JE LUI AI FAIT UNE SOUPE DE RIZ. CH'UIS SYMPA NON ?

LA SOUPE DE RIZ, TU CROIS QUE ÇA GUÉRIT LES DENTS POURRIES ?

SI T'AS MAL, FAUT TE FAIRE SOIGNER CHEZ UN DENTISTE, POURQUOI TU SUPPORTES COMME UN IMBÉCILE ?

SI J'Y VAIS CETTE FOIS, JE DOIS AU MOINS DÉBOUR-SER 250 000 WONS.

250 000 OU UN MILLION DE WONS, QUAND IL FAUT LE FAIRE, IL FAUT LE FAIRE, TSSS

...

TOI, T'AS CHANGÉ !?!

MOI, QUOI ?

J'SAIS PAS, 'Y A UN TRUC QUI M'ÉNERVE CHEZ LUI.

IL EST GONFLANT.

OUAIS.

...

...

QU'EST-CE QUI A CHANGÉ, JE M'INQUIÈTE POUR LUI ET ALORS...

CONTRAT ARTICLE 1

JE, SOUSSIGNÉ ....
M'ENGAGE À PRODUIRE DES
DESSINS UNE FOIS PAR MOIS
À ....
CONTRE LE PAIEMENT DE LA
SOMME DE UN MILLION DE WONS
... BLABLABLA.....

UN MILLION DE WONS...

moi... être riche, ça me va pas.

47

TOUT LE MONDE A
SA VÉRITÉ À DIRE

BÉÉ-ET-DÉÉ ?

LA GRANDE TANTE

MA CHÉRIE. AU MOINS ÇA A BEAUCOUP D'AVENIR ET C'EST BIEN PAYÉ, N'EST-CE PAS ?

EUH... NON, PAS TANT QUE ÇA...

OH... 60 OU 70 MILLIONS DE WONS* PAR AN, C'EST PAS MAL, NE SOIS PAS TROP GOURMANDE.

SON FILS VIENT D'OUVRIR UN CABINET D'AVOCAT.

*60 000 euros à peu près.

213

OH~ TU NE COMPRENDS RIEN SUR LE MONDE.

LA PETITE TANTE

MÊME AVEC UN DOCTORAT DANS UNE GRANDE ENTREPRISE, ON NE PEUT PAS GAGNER ÇA.

SA FILLE VIENT D'ÊTRE EMBAUCHÉE DANS UNE GRANDE ENTREPRISE.

AU DÉBUT, 30 MILLIONS, ÇA A L'AIR PEU, MAIS IL FAUT S'EN CONTENTER, N'EST-CE PAS ?

LA MÈRE. SA FILLE VIENT D'ANNONCER QU'ELLE SERAIT DESSINATRICE DE BD APRÈS SES ÉTUDES.

EUH... O... OUI... C'... C'EST ÇA...

...

JAE-EUN S'APPRÊTE À DEVENIR UNE OUVRIÈRE DE LA CRÉATION SANS REVENUS.

OHLÀLÀLÀLÀ. ELLES EXAGÈRENT TES TANTES.

UNE AÎNÉE DE L'UNIVERSITÉ. ELLE VIENT DE SE MARIER.

FINALEMENT, ELLES CHERCHENT À SE VANTER DE LEUR PROGÉNITURE, JE ME TROMPE ?

NORMAL, EN VIEILLISSANT C'EST TOUT CE QU'ON A POUR SE VANTER.

ET TU DÉPRIMES POUR ÇA ? ÇA TE RESSEMBLE PAS JAE-EUN.

...

JE M'ATTENDAIS UN PEU À CE GENRE DE RÉACTIONS MAIS LA PILULE EST DURE À AVALER...

J'AI L'AIR BÊTE, N'EST-CE PAS ?

48

L'AVEUGLE NE PEUT CONSOLER LE BORGNE

LÀ, J'SUIS VRAIMENT OBLIGÉ DE M'ARRÊTER UNE ANNÉE. GRRRR...

QU'EST-CE QUI T'ARRIVE ?

MA FAMILLE EST EN CRISE.

ILS ONT VENDU LEUR MAISON POUR UN APPARTEMENT... MON FRÈRE EST ÉTUDIANT LUI AUSSI. DE NOUS DEUX, IL EN FAUT UN QUI TRAVAILLE MAINTENANT.

POURTANT, C'EST BIENTÔT LA FIN DES ÉTUDES... ÇA ME REND DINGUE.

EH ! NOUS, ON LOUE ENCORE QU'UN DEUX PIÈCES.

VOUS, AU MOINS, VOUS POSSÉDEZ UN APPARTEMENT.

MOI, QUAND J'ÉTAIS GAMIN, J'AI DÛ MANGER RIEN QUE DU RIZ MÉLANGÉ À DE LA SAUCE DE SOJA PENDANT SIX MOIS.

TOI, TU T'ES DÉJÀ AGRIPPÉ AU TOIT DE TOUTES TES FORCES DE PEUR QUE LE TYPHON NE L'EMPORTE ?

À CAUSE DU VENT TROP FORT, ON NE POUVAIT PAS LE RÉPARER, ALORS ON A JUSTE ATTENDU...

TOUT ÉTAIT INONDÉ. SOUS LA PLUIE, MON PÈRE NE SAVAIT PLUS OÙ DONNER DE LA TÊTE. TU PARLES D'UNE MAISON... DES MORCEAUX DE BOIS MINCES EMPILÉS LES UNS SUR LES AUTRES...

IL N'Y AVAIT RIEN À DIRE. TU SAIS CE QUE C'EST QUE D'ÊTRE PAUVRE TOI ? T'AS MÊME PAS LA CHARGE D'UNE FAMILLE À T'OCCUPER ET T'ARRÊTER UNE ANNÉE S'IL LE FAUT, T'APPELLE ÇA DEVENIR DINGUE TOI ?!? HEIN ?!?

Dans cette situation, celui qui s'est plaint le premier devient coupable et celui qui a vécu les expériences les plus misérables est le seul à pouvoir parler.

...

...

Devant l'étalage des misères de mon pote envahi par l'émotion, j'ai fini par avoir honte de mon histoire du riz mélangé à la sauce de soja.

RÂÂÂ~ JE DEVIENS FOU.

QUOI ? QU'EST-CE QU'IL Y A ?

LES AFFAIRES DE MON PÈRE NE MARCHENT PAS FORT, IL NE VEUT PAS ME PAYER L'ESSENCE DE MA VOITURE. ÇA VA MAL.

Je dois le consoler ou pas ?

#49 :

DANS L'OBSCURITÉ

MÈRE,
VOUS DEVEZ VRAIMENT
EN FAIRE AUTANT ?!?

QU'EST-CE QU'IL Y A
TOUT D'UN COUP ?

VOUS POUVIEZ
ATTENDRE POUR LE REPAS
N'EST-CE PAS ?

QUELLE
MOUCHE L'A
PIQUÉ CELUI-LÀ ?

CE N'EST PAS À CAUSE DU REPAS
QUE J'AI RÉAGI AINSI MAIS ÇA FAIT
LONGTEMPS QUE LE MAÎTRE N'EST
PAS VENU.

MÊME SI NOUS SOMMES DES
CHIENS QUI DÉPENDONS DE LA
NOURRITURE DU MAÎTRE, VOUS
AVEZ DÉLAISSÉ VOS ENFANTS
CHÉRIS POUR ALLER CARESSER
LE MAÎTRE DANS LE SENS
DU POIL. À NOS YEUX,
MÈRE, CETTE ATTITUDE
N'ÉTAIT PAS TRÈS JOLIE
À VOIR !

ET LA SENSATION DE
FROIDEUR RESSENTIE AU
MOMENT OÙ VOTRE TÉTINE
QUITTA BRUSQUEMENT MA
BOUCHE RESTERA LONGTEMPS
COMME UNE BLESSURE
EN MOI.

223

*Certaines personnes ont coutume de manger de la soupe de chien. N.D.T.

50 :

LA PLACE VIDE DU COPAIN

À TABLE !
MONG-CHAN !

Mong-chan qui travaille tout le temps...

OH~ J'EN AI MARRE.
ON POURRAIT PAS VIVRE
SANS MANGER ?

Mis à part son boulot, tout le reste le fatigue.

...

Pour lui, manger, c'est comme faire le plein d'essence.

...

FROT
FROT

Il se moque de tout.

Des fois, ce Mong-chan, il nous agace.

Quatre jours d'absence de ses copains... et voici le résultat.

MOISISSURES

MO... MONG-CHAN !

C'est parfois déplorable...

J'AI EU UN ACCIDENT DE VOITURE... JE N'AI PAS DE QUOI PAYER L'HÔPITAL... NI PRENDRE LE BUS...

QU... QUOI !?! CE... CENT MILLE WONS !!!

JE N'AI QUE ÇA...

Ces amis apprécient sa gentillesse un peu naïve et sa passion pour le travail.

QU'EST-CE QUE TU FAIS ?

AH... J'SUIS EMBAUCHÉ ALORS JE DÉMÉNAGE.

J'AI ENVOYÉ MES TRAVAUX ET ON M'A PRIS TOUT DE SUITE.

Comme il est comme ça...

SANS MONG-CHAN, JE PENSAIS QU'ON SE SENTIRAIT MIEUX... MAIS QU'EST-CE QUE LA CHAMBRE A L'AIR VIDE ! HIING~

C'EST VRAIMENT AU MOMENT OÙ IL PART QU'ON SE REND COMPTE DE LA PLACE QU'IL PRENAIT...

sa place vide ne passait pas inaperçue.

Vi~ide

C'EST DRÔLE, ON LA RESSENT PAS QU'UN PEU SON ABSENCE.

...

PROFESSIONNEL SPÉCIALISÉ DE GRANDE VILLE

EFFORTS PERSONNELS + SACRIFICES DES POTES

ÉTUDIANTS EXTRÊMEMENT PAUVRES DE PROVINCE

ON S'EST PAS FAIT AVOIR ?

#51 :
UNE COLÈRE JUSTIFIÉE

COMMENT OSE-T-IL VENIR CHERCHER SON LOYER AUSSI PONCTUELLEMENT POUR UNE SALETÉ DE CHAMBRE PAREILLE !

JE VAIS LUI MONTRER CE QUE C'EST QU'UNE VRAIE COLÈRE DE LOCATAIRE !

GRR RRR

Ça s'est passé si naturellement...

L'EAU RENTRE DANS LA CHAMBRE ?

WAOUH~ MORTEL LE TEE-SHIRT RAYÉ

MONTEZ DANS CELLE DU PREMIER, ELLE EST VIDE.

AH... BON...

D'ACCORD...

QUAND EST-CE QU'IL VA SE METTRE EN COLÈRE ?

... que je n'ai pas eu l'occasion d'exprimer ma colère.

VOUS SAVEZ, LÀ, C'EST 300 000 WONS LE LOYER.

N... NON, ATTENDEZ... ON N'A PAS CHOISI D'Y ALLER NOUS. C'EST UN PEU...

BON, DANS CE CAS, ALLEZ AU PREMIER

ET APRÈS LES TRAVAUX, RE-DESCENDEZ DANS VOTRE CHAMBRE.

PAS D'SOUS, IL A PAS D'SOUS.

C'EST LA PÉRIODE DE FIN D'ÉTUDES ET ON N'A PAS LE TEMPS DE DÉMÉNAGER DEUX FOIS DE SUITE...

ALORS QU'ON N'A RIEN FAIT DE MAL, SI EN PLUS ON DOIT FAIRE TOUT ÇA...

ÉCOUTEZ-MOI LES ÉTUDIANTS. AU DÉBUT, VOUS AVIEZ DIT QUE VOUS N'ÉTIEZ QUE DEUX MAIS À COMBIEN VOUS AVEZ VÉCU LÀ-DEDANS ?

ÇA SUFFISAIT PAS QUATRE POUR ÉLEVER UN CERF ? JUSQU'À MAINTENANT, J'AI FERMÉ LES YEUX...

IL A LES YEUX POUR VOIR UN CERF, LUI.

231

232

52 :

LE STYLE DU MARÉCAGE

Le professeur Kim se culpabilisait de ternir son image d'artiste avec la surcharge de travail universitaire et les réunions de travail arrosées.

...

SI VOUS TRAVAILLEZ JUSTE UNE DEMI-JOURNÉE, JE VOUS PAIERAI UNE JOURNÉE ENTIÈRE. ALLONS À LA MONTAGNE NOUS METTRE AU TRAVAIL... D'ACCORD ?

Il y a un an, il a commencé les travaux pour son atelier dans la montagne, le rêve de tout artiste.

YOUPI !

...

HAING

OUING

"C'EST QUOI 20 BRIQUES ? MOI, À 60 ANS, J'EN PORTE 30", QU'IL OSE DIRE !

HA~ING. J'AI ENVIE DE ME BROSSER LES DENTS.

Deux semaines d'enfermement pour travaux forcés.

VISE UN PEU MES GUIBOLLES ! C'EST DES JARRETS DE BŒUF, DES JARRETS, J'TE DIS !

Avec la fin des travaux, il s'est fixé de nouvelles ambitions mais...

J'ENFLAMMERAI MON ÂME D'ARTISTE DANS CE COIN RECULÉ DU MONDE !

... comme la plupart de ce genre de résolutions...

OUF

OUF

OUF, C'EST LOIN !

Il n'y est retourné que deux fois depuis.

Cet atelier délaissé tombait en ruines

et pesait dans un coin du cœur du professeur Kim.

L'EAU DANS LA CHAMBRE... LE PROPRIÉTAIRE... DE RAGE, ON A DIT QU'ON PARTIRAIT... MONG-CHAN EST PARTI AVEC LES MEUBLES... NOUS SANS ARGENT...

ON SAIT MÊME PAS OÙ ALLER, COMMENT FAIRE LES GARS ?

ÇA A L'AIR D'ÊTRE LA PLUS GRANDE CRISE DE TA VIE D'ÉTUDIANT, ON DIRAIT.

AU FAIT, VOUS SAVEZ MON ATELIER ? ALLEZ VIVRE LÀ-BAS.

IL Y A UN FRIGO, UN BUREAU, TOUT ÇA. ALLEZ VIVRE LÀ-BAS, HEIN ?

C'EST PAS UN PEU LOIN ?

C'EST PAS... "UN PEU"...

NON, NON, À L'ÉPOQUE, JE VOUS Y AVAIS EMMENÉS EN VOITURE, C'EST POUR ÇA. MAIS EN BUS, C'EST JUSTE À CÔTÉ.

AH BON ?

C'EST PAS LOGIQUE !

CES GESTES DE LA MAIN CACHENT QUELQUE CHOSE.

235

LA MONTAGNE ?!? QUELLE MONTAGNE ? LES HOMMES DISENT TROP FACILEMENT QU'ILS SE RETIRENT DANS LA MONTAGNE...

LA MONTAGNE, ÇA M'CONNAÎT MOI...

MAIS C'EST PAS UNE PLAISANTERIE ÇA ! COMME T'AS UN PETIT JOB, ON N'A QU'À LOUER UNE AUTRE CHAMBRE, C'EST TOUT !

J'AI ARRÊTÉ JUSTEMENT POUR PRÉPARER L'EXAMEN DE FIN D'ÉTUDES.

EN TOUT CAS, NOUS, ON Y VA. FAIS COMME TU VEUX, TU RESTES OU TU VIENS...

...

ET LE CAMION DE DÉMÉNAGEMENT ALORS ?

TU ES LENT, TU N'AS PAS ENCORE COMPRIS NOTRE MODE DE VIE ? PORTE CE PAQUET.

#53 :
C'EST AINSI

Au bout de deux heures...

...

Après une bonne douche et un bon dodo.

On oubliera toute cette fatigue.

'Y A PAS D'EAU !

#54 :

N'EST-CE PAS?

On n'aurait pas un problème nous ?

Vouloir s'écarter du monde (on pourrait donner plus de cent raisons de le détester)...

Sans être une fuite...

Le jour où l'on demandera,
la crainte dans les yeux,
combien gagnent nos amis,
où l'on fouillera les annonces
immobilières, va arriver.

Sommes-nous en train de
fabriquer des souvenirs pour
dire, ce jour-là, qu'on a tout
fait pour pas tomber
là-dedans.

À présent où on tremble
de peur, sans pouvoir
mettre les deux pieds
dans le monde...

... ni le quitter, sommes-
nous malgré tout en train
de grandir peu à peu ?

ALLEZ, COURAGE !
À L'ÉCOLE !

Même avec autant de contradictions intérieures...

YAAHOOUUUU

LES JEUNES, ILS SONT DILIGENTS DÈS LE MATIN.

et de crainte, vis-à-vis du monde...

Ces cris de joie qui détonent sans raison...

ne seraient pas une simple stupidité, n'est-ce pas ?

MÊME SI JE SUIS PLUS LÀ, PLEURE PAS.

LE MARÉCAGE   FIN

KYUNG-HEE.
AVEC SHREK,
100 % SYNCHRO.

LES AMIS DU MARÉCAGE

Si l'on me demande quelle est la chose la plus importante durant la vie d'étudiant, je réponds sans hésiter que ce sont les amis. Mes amis étaient enthousiastes et plein d'humour. C'étaient des types sobres. On a publié des revues ensemble et on passait nos nuits à parler des BD et de l'art. Avec nos paquets sous le bras, avec eux, c'était presque naturel de prendre le bus pour déménager... Bien sûr, comme on a vécu dans un espace étroit pendant longtemps, on avait de quoi s'énerver de temps en temps, mais allons, ne parlons que des bons moments de "ce bon vieux temps". Si ça se trouve, on a pu se supporter juste parce qu'il fallait économiser le loyer.

KANG JAE-HO (LE PERSONNAGE DE JAE-HO)

C'est un copain qui n'a quasiment pas changé depuis qu'on se connaît. Il a une apparence magique qui s'adapte à n'importe quel style de vêtement. À cause de sa mauvaise habitude de s'allonger un peu partout et de son style bien à lui, ça lui arrive d'être pris pour un homme de la rue. Quelquefois en allumant son ordinateur, il entamait des conversations : "bonjour ordinateur, ça va depuis la dernière fois ?". Évidemment, il n'aurait pas discuté sérieusement comme dans ce livre. Même si je n'en suis pas tout à fait sûr. Dans ce livre, j'ai créé un personnage à partir des scènes comiques qu'il nous a montrées. Mis à part tous ces objets récupérés qui envahissaient notre espace de vie, le vrai caractère de Jae-ho est bien différent. Finalement, le vrai caractère de Jae-ho... je n'en sais rien. Il vomit après avoir bu un demi verre de bière et quand il est ivre (un quart de verre suffit), il fait le ménage. Même en pleine conversation, il peut s'endormir en quelques secondes.

KIM HONG-CHAN (LE PERSONNAGE DE MONG-CHAN)

 *C'est un coup de foudre entre lui et moi.*
Voici un bout de notre première conversation :
Moi : T'as fait tes devoirs ?
(avant même les présentations).
Lui : Non.

Moi : Tu as un ordinateur ?
Lui : Ouais.
Moi : Moi, je n'ai pas d'ordinateur et je ne sais pas taper,
ça te dit de faire les devoirs ensemble ?
Lui : Oui, je vais taper pour toi

Ce soir-là, on a passé la nuit à faire nos devoirs et on est devenus comme cul et chemise jusqu'au moment d'aller à l'armée. À l'époque où l'ordinateur était un objet magique, il manipulait cette machine comme un dieu et on était toujours ensemble dans le travail de groupe sous la direction de notre professeur. Par contre, comme il ne s'occupe que de son travail, quand on habite ensemble, on souffre. Quand on s'est trouvé séparés à cause du service militaire, combien de fois je me suis répété qu'il ne faut pas vivre avec lui pour ne pas souffrir. À la fin du service militaire, il habitait alors déjà avec d'autres amis. J'étais rassuré et j'ai tranquillement loué une chambre pour moi seul. Mais quelque temps après, Hong-chan et Jae-ho m'ont rejoint. Quel drôle de destin.

Si j'ai choisi d'insérer le personnage de Mong-chan dans la chambre, c'est pour montrer la densité de population au m² bien que finalement, comme il ne servait pas à grand chose, je l'ai éliminé vers la fin. En réalité même, quand il revenait de l'école, il gardait sa tenue de la journée et repartait à l'école le lendemain sans rien changer.

Jeong Hyun-uk (LE PERSONNAGE DE JEONG-KUN)

C'est un ami du lycée qui est entré deux ans après moi à l'université. Quand on était lycéens, on participait tous les deux aux activités d'un club de BD. Il a essayé de me pousser à apprendre le dessin. Moi qui avais retrouvé une sérénité parfaite après m'être consolé de ne pas pouvoir entrer, faute d'argent, dans un institut privé de dessin, je restais de marbre malgré son insistance constante. Un jour, il s'est approché de moi et d'un ton fâcheux, il m'a dit de sa voix rauque, "eh branleur, allons apprendre le dessin". Si je ne l'avais pas suivi à ce moment-là, je me demande ce que je serais devenu aujourd'hui. Dans Le Marécage, mis à part le personnage qui s'inspire de moi, le caractère de Jeong-kun représente le personnage aux facettes les plus variées. Notre entourage estime que ce personnage est d'ailleurs très proche du vrai Hyun-uk. Pour ce personnage, je voulais ajouter un caractère sensible, gentil avec l'ardent désir de se faire valoir. Plutôt que beau, disons qu'il est mignon.

Le cerf

Ah, celui-là, c'est pas un pote... Mais malgré tout, continuons puisque j'ai commencé. On m'a souvent demandé pourquoi j'ai choisi un cerf en particulier. Je vais vous le révéler franchement, quitte à décevoir l'imagination des lecteurs. Le symbole de l'université de Sangmyeong où j'ai fait mes études est le cerf. Pourquoi auraient-ils choisi le cerf parmi tant d'autres animaux plus symboliques comme par exemple le tigre, l'aigle, le cheval ou encore le dragon ? Certainement parce que mon université était autrefois réservée aux filles. Je suppose que c'est l'héritage de vieilles valeurs : une femme doit être pure, docile, avoir les yeux clairs, un long cou et des jambes fines et jolies. En tout cas, comme je devais produire une BD pour un candidat aux élections du représentant des étudiants de l'université, je devais intégrer ce symbole. C'est ainsi qu'est né le personnage du cerf. À ce moment, le cerf avait déjà ce caractère un peu cynique. Au début du livre, je me suis rapidement trouvé en manque d'inspiration d'où l'idée d'insérer le personnage du cerf qui, finalement, est devenu le personnage le plus imposant.

BD publicitaire pour les élections du représentant des élèves où le personnage du cerf a fait sa première apparition.

Photographie à l'occasion de la publication du Marécage. De gauche à droite : Kim Hong-chan (Mong-chan), Jeong Hyun-uk (Jeong-kun), Choi Kyu-sok (Choe-kun) et Kang Jae-ho (Jae-ho). Vu notre condition, quelle gloire de prendre une photo en studio... !

SOUVENIRS DU MARÉCAGE

CHAMBRE DEVANT L'ÉCOLE

Mon copain Kyung-sun faisait lui-aussi partie de la bande. Mais comme son visage n'a pas de traits saillants, il n'a pas été repris dans la BD du marécage. On aperçoit des polystyrènes entassés sur le frigo parce qu'on en avait besoin pour le déménagement. Comme on manquait de place, parfois, on les collait sur le mur avec du scotch double face. On était fiers de cette astuce révolutionnaire. Dans cette chambre, j'ai vécu avec Hong-chan, Kyung-sun, Jae-ho, Hyun-uk et après l'université le groupe s'est séparé.

L'ATELIER DU CENTRE DE BD.

J'ai un peu vécu avec Seok Jeong-hyeon, Byun Ky-hyun. Pourquoi cette position, je l'ignore.

ATELIER DU PROFESSEUR À LA MONTAGNE DE KWANGDOK.

À cause de l'inondation de la chambre en 1998, on a déménagé dans l'atelier du professeur dans la vallée de Kwangdok. Rien qu'en bus, il fallait au moins deux heures pour y aller. Là-bas, une fois descendu à vélo, il était impossible de remonter avec. Au début, on était un peu déprimés à cause de la solitude et de l'isolement, du silence et des regrets mais quelques jours après, on était devenus des vrais hommes de la nature qui s'énervent au moindre bruit de voiture.

LA CHAMBRE ACTUELLE.

Elle n'a pas l'air très différente des trois au dessus sauf que la vie est devenue beaucoup plus confortable pour moi.

JAE-HO ET L'OREILLER-CHAT
Le chat "qui lui sert aussi d'écharpe et d'oreiller"
est l'animal préféré de Jae-ho. Le personnage du Marécage
qui lui correspond s'adapte parfaitement à son style.

LA CHAISE EN PLASTIQUE
Sans manger grand chose Hong-chan et moi, on faisait de
la musculation. Mais à cette époque, les muscles n'étaient
pas du tout à la mode. Devant Hong-chan qui fait du sport,
on aperçoit une chaise au nom d'une entreprise de bière.
On la croyait jetée et on l'a récupérée pour la chambre. Elle
était très pratique et confortable. C'est un objet très uti-
le pour les étudiants. Que l'on mange ou que l'on dorme,
de toute façon, ce genre de chaises s'empile les unes sur
les autres. À l'extérieur de notre chambre en demi sous-sol
se trouvait un parking. Tous les matins, on avait droit à
notre dose de fumée fraîche. Le sol de la chambre brillait
toujours d'une couche grasse de crasse.

HONG-CHAN AU TRAVAIL (1997)
*Hong-chan qui travaille
sur ordinateur avec toutes
sortes de postures bizarres.*

JEONG-KUN AU REPOS (1998)
*Jeong-kun n'a pas de concept de journée : quand il a
faim, il mange et quand il a sommeil, il dort. Chacun
avait son heure pour dormir. Grâce à un roulement,
tout le monde pouvait dormir et prévoir approximati-
vement son heure de sommeil. Mais à cause du sommeil irrégulier et imprévisible de Jeong-kun, il y avait
parfois des scènes de ménage.*

LES ONGLES (2001)
*Au retour du service militaire, le premier devoir
qu'on a reçu à l'université, c'était de produire une
BD en couleurs ayant pour thème "moi".
J'ai emprunté l'idée à une vieille histoire coréen-
ne qui dit que si on se coupe les ongles la nuit et
qu'une souris les mange, elle prend notre apparence physique.
Après ce travail, on m'a fortement déconseillé
de faire de la BD humoristique. Pourtant, à chaque occasion, j'ai repris ce moule comme base pour
en faire une série et finalement, je suis devenu un
auteur de BD humoristiques.*

L'HISTOIRE DU TITRE

Le premier titre que j'avais retenu quand je préparais la série pour le journal Kyonghyang était L'Observation de Choi Kyu-sok mais sur la même page, l'auteur Mun Hung-mi préparait un travail similaire au mien alors, ayant moins de notoriété que lui, il m'a fallu céder et retirer ce titre. J'ai failli commencer avec un titre enfantin comme L'angle mort de Choi Kyu-sok mais finalement j'ai repris le premier titre original de Mimétisme qui était Rapport sur la vie au marécage* pour en faire le titre de la série toute entière.

LE CONCEPT DU MARÉCAGE

Il existait un garçon qui aimait bien se faire valoir et qui suivait diligemment tout principe qui prônait la puissance de la raison. Il ne jetait jamais quoi que ce soit dans la rue, niait le sentiment amoureux en le taxant d'irraisonnable. Pour les mêmes raisons, il ne faisait jamais de promesses en l'air et il méprisait tous les sujets que les médias mettent habituellement en valeur et que les jeunes voient comme des repères chics : la mode, les magazines de mode, les voitures de luxe, les images publicitaires à la télévision, les soirées people, les piscines avec de belles filles en bikini, les copains étrangers (de pays développés), les produits de grande marque, la bourse, tout le m'as-tu-vu... ainsi que toutes les parties moins reluisantes que tout homme possède en lui, à plus ou moins grande échelle : l'égoïsme, le matérialisme, la jalousie, l'irrationalisme, la cupidité pour le pouvoir, l'esprit de concurrence, les commérages, l'orgueil, etc.

Mais lui aussi, il nourrissait un sentiment d'amour envers quelques femmes (bien sûr pas en même temps !) et quelquefois même, il jetait des objets dans la rue, se faisait costaud après avoir vu un film d'action, utilisait de la mousse pour

*devenu le marécage pour l'édition française. N.d.E

les cheveux et se montrait fier quand il s'habillait de vête-
ments de qualité. Il a même volé une brosse à dents à l'armée. Pendant son service militaire il a aussi appris le nom de
tous les membres d'un girls band à la mode. Bien qu'il portait
un regard obscur sur son passé, il se faisait valoir à la moindre occasion.

Chaque fois qu'il se voyait dévier du droit chemin qu'il s'était
fixé comme modèle, avec la force de la raison, il cherchait
l'état de raison parfait en se réprimant lui-même. Plus cette
partie de lui-même devenait insupportable à ses yeux plus
il en voulait à son entourage d'afficher la même attitude.
Il pensait que l'être humain devait évoluer et croyait que
c'était possible. Il participait donc toujours aux polémiques
avec les autres en essayant de leur enseigner quelque chose... C'est ainsi qu'il a passé son adolescence et le début de
la vingtaine.

Au moment où il apprenait par cœur les noms des membres
d'un girls band, il a connu quelques flirts. Il se tenait trop
bien dans ce milieu incroyablement irrationnel qu'est l'armée, mais à un certain moment, il a commencé à se montrer
plus tolérant face aux paroles et aux comportements criti-
quables des autres.

Il devait choisir. Faut-il courir vers cet état de raison si difficile à atteindre en restant constamment sous pression ou
bien vivre comme tous les autres en se disant simplement
que c'est la vie. Il a beaucoup réfléchi à ces deux attitudes
extrêmes et a fini par comprendre que la vérité finit toujours
par germer en l'homme qui n'est pas extrême dès le début.
Mais son problème, c'est qu'il avait toujours été extrême :
c'était blanc ou noir, pour lui. Quand on sait sourire légèrement devant la saleté de l'homme, on peut enfin l'enlever.

Pour propager cette conviction, il a décidé de se lancer dans un scénario pour un quotidien et a conçu une BD qui se déroule en quatre pages...

Peut-on appeler cela la conception du Marécage, c'est peut-être exagéré. Quelques lecteurs du Marécage ont souligné la tristesse de son contenu parfois... mais mon intention originelle était bien de rire. En voyant la saleté de son corps, au lieu de frotter jusqu'au sang en disant "oh j'étais si sale, je vais tout enlever" ou bien en se disant, "à quoi ça sert de se laver, je vais redevenir aussi sale de toute façon", mieux vaut se laver comme si ce n'était rien du tout. On a besoin d'avoir ce regard concernant le problème de l'intérieur de l'être humain. Cette idée revient de temps en temps dans LE Marécage. Mais dans la plupart des cas, pressé par le temps, je n'ai pas pu creuser cette idée.